MA፡   R

.... IRWIN

MAE MODFEDD YN LLAWER MEWN TRWYN

Casgliad o gerddi i blant

Gol: Myrddin ap Dafydd

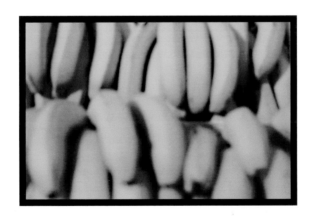

Argraffiad cyntaf: Medi 2003

(h) Hawlfraint: Awdurdod Cwricwlwm ac Asesu Cymru 2003
(h) y cerddi: awduron/cyhoeddwyr gwreiddiol

Rhif Llyfr Safonol Rhyngwladol: 0-86381-857-9

Cynllun clawr: Sian Parri

Cyhoeddwyd gan Wasg Carreg Gwalch,
12 Iard yr Orsaf, Llanrwst, Dyffryn Conwy, LL26 0EH.
℡ 01492 642031
🖷 01492 641502
✉ llyfrau@carreg-gwalch.co.uk
lle ar y we: www.carreg-gwalch.co.uk

Dylunio a ffotograffau gan:
Meinir Wyn Jones
Dylan Williams
Siôn Morris
Keith Morris
Anthony Evans
Gill Roberts
Telegraph Colour Library

Dymuna'r cyhoeddwyr ddiolch i'r panel ymghynghori a threialu:
Eleri Wyn Thomas, Ysgol Cymerau
Ian Lloyd Huws, Ysgol Ffridd y Llyn
Jane Davies, Ysgol Gynradd Wdig
Dilys Davies, Ysgol Gymraeg Llyn y Forwyn
Alun Ifans, Ysgol Cas-mael

CYNNWYS

CYFLWYNIAD

Does dim yn well na chael cyfle i groesawu ffrindiau i'r tŷ. Mae rhai ohonyn nhw'n hen ffrindiau, wedi galw sawl gwaith o'r blaen, bron â bod yn rhan o ddodrefn y gegin erbyn hyn ac mae'u cwmni yn rhan o'r cartref. Mae eraill yn ffrindiau newydd, yn galw am y tro cyntaf wedi derbyn y gwahoddiad a roesom iddyn nhw, ac rydym mor falch o'u gweld!

Dyna fy nheimlad am y casgliad hwn o farddoniaeth. Rwyf wedi mwynhau cwmni ambell gerdd er pan oeddwn yn hogyn fy hunan, ac mae'r geiriau yn dal i ganu yn fy mhen. Rwyf wedi cyfarfod amryw o rai eraill yma ac acw dros y blynyddoedd ac mae'n braf eu gweld bob tro. Mae eraill yma sy'n ffrindiau newydd — maent wedi'u sgwennu yn arbennig ar gyfer y casgliad hwn. Ond mae gen i ryw deimlad y byddant hwythau hefyd yn dal i alw acw am amser maith.

Yr hyn sy'n rhyfedd am ffrindiau yw eu bod yn cyrraedd yn griwiau weithiau. Mae amryw ohonynt yn dod yng nghwmni ei gilydd ac yn hoffi sgwrsio am yr un math o bethau. Dyna pam fy mod wedi eu rhoi mewn gwahanol ystafelloedd — mae'r sgwrs yn gwella o hyd wrth i lawer roi eu pwt eu hunain i mewn ynddi.

Mae ffrindiau yn gallu bod o bob oed, yn fach ac yn fawr. Yr hyn rydw i wedi sylwi arno yn ddiweddar yw fod gen i hen, hen ffrindiau sy'n fach, fach iawn. Eu henwau ydi 'diarhebion' neu 'ddywediadau'. Brawddegau byr ydi'r rhain ond eto sy'n llawn lluniau a doethineb. Dydyn nhw ddim yn defnyddio llawer o eiriau, ac eto maen nhw'n dweud llawer. Mae amryw o'r rhain wedi'u croesawu at y cwmni — rhai ohonyn nhw wedi croesi tir a môr i ddod yma. Gobeithio y cewch chithau flas ar ddod i'w hadnabod.

Fel pawb arall, mae gan fy ffrindiau i syniadau pendant iawn ynglŷn â'u dillad a'r ffordd maen nhw'n edrych. Mae gan rai hoff liwiau, eraill hoff luniau. Dyma nhw yn eu dillad gorau — a diolch i'r arlunwyr, y dylunwyr a'r ffotograffwyr i gyd am eu gwaith wrth ddilladu'r geiriau.

Dyna ni wedi cyflwyno pawb i'w gilydd erbyn hyn. Croeso i chithau i'r cwmni — mwynhewch y parti!

Myrddin ap Dafydd

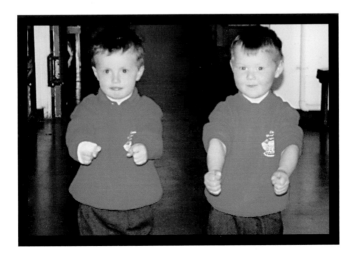

Tlws popeth bychan

Dyw hi ddim yn anodd
  llenwi llaw baban.

- o iaith yr Ashanti.

Lle crafa'r iâr y piga'r cyw.

Bach hedyn pob mawredd.

Moch bach, clustiau mawr.

Bach pob dyn a dybio ei hun yn fawr.

- dywediadau o Gymru

Bach ydi baban

Bach ydi baban
Ar ei gefn fel crwban
Yn ymrwyfo,
A'i ddwylo'n fychan, fychan.

Bach ydi baban,
Yn ei gwsg, yn ysgafn
Yn anadlu,
Mewn gwely bychan, bychan.

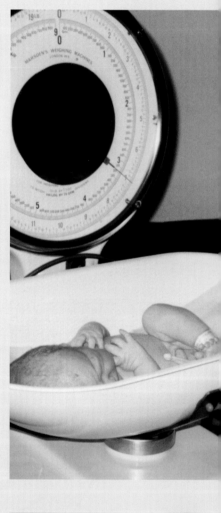

Bach ydi baban,
Fel cath fach yn tisian
Neu'n mewian
Yn binc a sidan, sidan.

Bach ydi baban
Fel cyw mewn nyth mewn coedan
Yn agor ceg
O'i blu a thwitian, twitian.

Bach, bach ydi baban,
Bach, bychan, bychan,
            Bach.

Gwyn Thomas

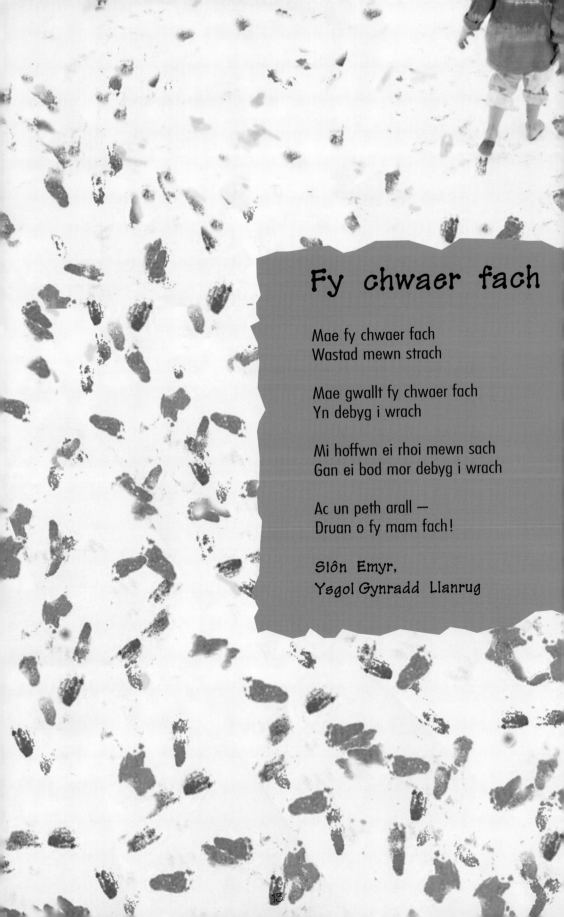

Fy chwaer fach

Mae fy chwaer fach
Wastad mewn strach

Mae gwallt fy chwaer fach
Yn debyg i wrach

Mi hoffwn ei rhoi mewn sach
Gan ei bod mor debyg i wrach

Ac un peth arall —
Druan o fy mam fach!

Siôn Emyr,
Ysgol Gynradd Llanrug

Y ceffylau bach

Ar fy ngwir ac ar fy ngair,
Dyna hwyl ges i a Mair
Ar geffylau bach y Ffair!

Lan a lawr â ni o hyd,
Lan a lawr a rownd 'r un pryd,
Gweld y Ffair yn troi i gyd.

Gweld y lampau glas a choch,
Clywed sŵn y miwsig croch,
Teimlo'r awel ar fy moch.

Gweld wynebau'r dorf yn wyn,
Pasio Mam bob hyn a hyn,
Honno'n gweiddi 'Cydia'n dynn!'

Ac fy ngwir ac ar fy ngair
Dyna hwyl ges i a Mair
Ar geffylau bach y Ffair.

T. Llew Jones

Harddach wyt na'r rhosyn gwyn

Mil harddach wyt na'r rhosyn gwyn,
Na'r rhosyn coch ar ael y bryn,
Na'r alarch balch yn nofio'r llyn,
　　Fy maban bach.

Mwy swynol yw dy chwerthin mwyn
Na chân y fronfraith yn y llwyn,
Na murmur môr o ben y twyn,
　　Fy maban bach.

Mwy annwyl wyt na'r oenig gwyn,
Na'r blodau tlws ar ochrau'r bryn,
Na dawnsio heulwen ar y llyn,
　　Fy maban bach.

Mil gwell gen i nag aur y byd
Yw gweld dy wenau yn dy grud,
Fy ffortiwn wyt, a gwyn fy myd,
　　Fy maban bach.

R. Bryn Williams

Ŵyn

Hwyl yw gweld ŵyn bach annwyl a gwyn
yn symud, symud fel sêr
ar goll o'r pellteroedd ar gae.

Ceir rhai'n prancio ar wib
i gysgod y coed ac eraill yn oedi,
oedi'n hir cyn dynwared
eu ffrindiau sionc gan sboncio'n
chwim i'r dde neu'r chwith.

A hwyl yw dal ŵyn bach annwyl a du
yn fwyn ac ysgafn a'u gwasgu
rhag symud, symud ar y borfa'n swil.

Eu byd yw'r cae,
a rasio ar bedair coes
ansad fel peli glo'n bownsio'n
sydyn mae ambell un, a'r llall
sy'n ei gwman a bensynna'n gomic
nes penderfyna gamu'n wyllt
ymlaen neu'n ôl!

Ŵyn gwyn nerfus
ac ŵyn direidus du'n
symud, symud yn yr haul cynnes yma
drwy'r oriau hir,
fel gêm o ddrafffts.

Emrys Roberts

Cân cyn cysgu

Mae hi'n amser cau y llenni
Pan fo'r haul yn mynd i gysgu,
Swatiwch blant o dan flancedi,
Cysgu, cysgu, hen blant bach.

Dyn y lleuad sydd yn gwylio
Dros y wlad yn dawel heno,
Nid oes dim all eich dihuno
Heno, heno, hen blant bach.

Seren arian ddaw o rywle
I ddisgleirio'n grwn fel dime
Ac i'ch gwarchod tan y bore,
Dime, dime, hen blant bach.

Wedi'r nos daw'r haul o'i wely
I ddihuno pawb yfory
Bydd y wawr yn siŵr o'ch codi
Fory, fory, hen blant bach.

Gwion Hallam

Y bore bach

Mae'r nos yn hedfan
Drwy'r ffenest allan
Yn y bore bychan
Bach, bach;
Mae'r seren olaf
Yn toddi'n araf
Ac yn wincio arnaf
Yn y bore bach.

Mae'r dydd yn pinsio
Fy mochau i'm deffro
(Er ceisio cuddio)
Yn y bore bach,
Ond hawdd yw maddau
Pan welaf innau
Wyneb golau
Y bore bach.

Cymylau mafon
A tharth yr afon
Fel hen freuddwydion
Yw'r bore bach;
Cân serch ar frigyn
Gwlith ar flodyn
A'r haul yn ymestyn
Am gusan fach.

Ei wên ei hun,
Nid gwên tynnu llun
Ydi'r un
Gan y bore bach,
Ond yna mae'n dangos
Ei ddannedd . . .
                    . . . achos
All y bore ddim aros
Yn fychan bach.

Myrddin ap Dafydd

Titw bach

Dwi'n fach.
Wel, dwi'n fyr.
Na, dwi'n fach.

Mae 'nghoesau i'n fach,
Mae 'nghorff i'n fach,
Mae 'mhen i'n fach —
Na — mae 'mhen i'n fawr — na —
Mae 'mhen i'n ganolig,
Ond mae gen i freichiau hir.
Fel mwnci.

  'Tich!'
  'Titw bach!'
  'Shortie!'
  'Skinny!'
  'Tase car yn rhedeg drosot ti baset ti'n mynd ar goll ym mhatrwm y teiar!'
Wna i ddim trio fo chwaith!

'Carys — i'r rhes flaen os gwelwch yn dda!' — côr yr ysgol . . .
Llun yr ysgol — 'Pobl fach yn y blaen, os gwelwch yn dda' . . .
'Y tîm pêl-rwyd? Paid â bod mor wirion!' . . .

Bach.
Titw bach.

Y peth yw,
Dwi'n meddwl
'Mod i'n fawr —
Tu mewn.

Tu mewn,
Dwi'n FAWR!

Carys Jones

Sŵn y dŵr

Mae'r glaw trymaf
yn disgyn ar y to sy'n gollwng fwyaf.

- dywediad o Siapan

Y dŵr bas sy'n gwneud y sŵn mwyaf.

- dywediad o Iwerddon

Mae pawb yn troi'r dŵr i'w felin ei hun.

Cario dŵr dros afon.

- dywediadau o Gymru

Tryweryn

Mae'r blodau yn yr ardd yn hardd;
mae'r rhosyn ger y drws yn dlws;
ond nid yw'r blodau'n tyfu nawr
mewn pridd o dan y creigiau mawr.

Mae'r dŵr uwchben fy nhŷ yn ddu,
mae'r pysgod yn y llyn yn wyn,
ond nid yw'r blodau'n tyfu nawr
mewn tŷ o dan y creigiau mawr.

Mae'r blodau'n tyfu'n hardd;
mae'r dail yn cwympo i lawr;
mae'r bobl wedi mynd;
mae'r blodau ar y llawr.

Dŵr oer sy'n cysgu yn Nhryweryn;
dŵr oer sy'n cysgu yn Nhryweryn;
dŵr oer sy'n cysgu yn Nhryweryn.

Meic Stevens
© Cyhoeddiadau Sain

Pitran-patran

'Rwy'n gorwedd yn y gwely,
A chwsg ymhell ar ffo.
'Rwy'n clywed y glaw yn pitran-patran
Ar hyd y to.

'Rwy'n caru meddwl heno
Fod pobun hyd y fro
Yn clywed y glaw yn pitran-patran
Ar hyd y to.

Mae'r brenin yn ei balas
Ac ym Mhenllwyn mae Jo,
Yn clywed y glaw yn pitran-patran
Ar hyd y to.

Mae merched bach y sipsiwn
Sy'n aros ar y tro
Yn clywed y glaw yn pitran-patran
Ar hyd y to.

Mae Darbi yn y stabal
A'r pedair buwch a'r llo
Yn clywed y glaw yn pitran-patran
Ar hyd y to.

Mae Carlo yn ei genel,
A'r hwyaid bach dan glo
Yn clywed y glaw yn pitran-patran
Ar hyd y to.

Mae'r llygod yn y llafur —
Pob peth ble bynnag bo
Yn clywed y glaw yn pitran-patran
Ar hyd y to.

Clywed y glaw yn pitran patran
Mae pobun trwy y fro,
Pitran-patran, pitran-patran,
Y glaw yn pitran-patran 'to.

Waldo Williams

'Run fath â llynedd

Trip yr ysgol yn yr haf:
Unwaith eto, bwced a rhaw
A dillad glan y môr
A phistyllio bwrw glaw!

Catrin Dafydd

Cymylau

Os oes tyllau
Mewn cymylau
Yn gollwng glaw
Yma a thraw;
Yna yn siŵr
Mae'r dafnau dŵr
O faint y tyllau
Yn y cymylau.

Emyr Hywel

Os gweli gwmwl ar ben y mynydd
— bydd cawod maes o law;
Oni weli di'r cwmwl ar fynydd
— mae eisoes yn bwrw glaw!

Hen rigwm

Pysgod

'Ydi pysgod yn crïo?'
'Nac ydyn, siŵr!'
'Wel, sut wyt ti'n gwybod
Mewn powlenaid o ddŵr?'

'Ydi pysgod yn chwerthin?'
'Nac ydyn, siŵr!'
'Wel, sut wyt ti'n gwybod
A thonnau'n y dŵr?'

Margiad Roberts

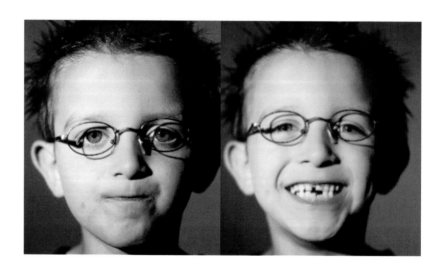

Dim ond dŵr

Mae 'na ddyfnder mewn dŵr;
Pyllau mewn afon
Heb iddynt waelodion,
A'r dyfnder yn dawel ar wyneb y dŵr.

Mae 'na deimlad mewn dŵr;
Weithiau'n siaradus,
Weithiau'n hiraethus,
Siaradus, hiraethus fel wyneb y dŵr.

Mae 'na dristwch mewn dŵr;
Dail ar y tonnau,
Yr hydre'n ei ddagrau,
Cawod yr hydref ar wyneb y dŵr.

Ynof innau mae dŵr;
Weithiau'n fy llenwi
Hyd dop fy mhen i
Nes fy mod innau a'm hwyneb yn ddŵr.

Myrddin ap Dafydd

Y storm

Mae'r gwynt yn curo heno
Wrth ddrws yr Hafod Wen,
A minnau yn y gwely
A'r dillad dros fy mhen.

Mae'r glaw yn cnocio'r ffenest
Â mil o fysedd mân,
'Rwyf innau'n glyd a diddos
O dan y garthen wlân.

Os yw hi'n storm tu allan
A'r coed a'r caeau'n ddu,
Ni chaiff y gwynt na'r curlaw
Byth ddod i mewn i'r tŷ.

Chwyth fel y mynni, gorwynt,
Rhwng cangau'r deri mawr,
Mae'n gynnes yn y gwely —
'Rwy'n mynd i gysgu 'nawr.

T. Llew Jones

Yr enfys

Pwy fu'n plygu bwa'r enfys
Rhwng y cawodydd glaw?
Mae un pen yn llyn y Felin
A'r llall yn rhywle draw.

Pwy fu'n peintio'r lliwiau arno?
Y seithliw hardd eu tras:
Coch, melyn, piws, melyngoch,
Gwyrdd, indigo a glas.

A yw'n wir y cawn ni drysor
Lle daw o'r nef i lawr?
Clywais ddweud, a dyna ddigon,
Fe chwiliaf yno'n awr.

Ond mae'r bwa'n symud, symud
O lan y llyn i'r ddôl,
Rhaid ei ddal cyn iddo ddianc —
Mi redaf ar ei ôl!

W. Rhys Nicholas

Mewn car drwy gawod

I ddechrau
                    nid oedd
ond

dafnau
                    distaw
yn

pigo'r
                    gwydr,
ac yna —
gleber y glaw
fel y trawai'r miloedd traed
hyd y gwydr a'r to.

Drwy'r ffenestr gilagored
ffrwtiai'r awel
nes boddi chwyrnu'r car,
a'r llafnau   yn clician
wrth gosi'r   gwyntsgrin,
a'r ffordd i gyd yn wylo.

Yna, ymlaen ar ei daith,
sychodd y car ei lygaid,
ond dal i snwffian:
clyw'r olwynion
yn llyfu'r llynnoedd dagrau
ac yn lleibio'r pyllau llonydd.

John Gwilym Jones

Socsan

Un droed sych a'r llall yn slwts,
cadach llestri lle bu hosan,
Un sîbwt yn dal dŵr mewn,
a'r llall yn ei gadw allan.

Tony Llewelyn

O law i law

Tarth a niwl a gwlith a glaw
Yn tywallt lawr neu'n treshio
Hen wragedd bychain gyda'u ffyn
Yn arllwys neu'n pistyllio,
Mae'n ddilyw yma, yn stido draw
Mae'n ddagrau neu mae'n smwcian
Ond ym mhob cawod, doed a ddêl:
Heb ymbarél, dwi'n socian!

Tony Llewelyn

Yn y tŷ

Mae'n bwrw glaw allan,
Mae'n braf yn y tŷ,
Ond nid ydi pawb
Mor ffodus â fi.

Lis Jones

Cwyd dy galon

Sych dy ddagrau, cwyd dy galon,
Mi ddaw pethau'n well yn union;
Dacw'r haul tu ôl i'r cwmwl
Ac mae'n gwenu'n braf drwy'r cwbw

Myrddin ap Dafydd

Sylwebaeth ar chwaraeon

'Mae pob oedran angen ei degan.'

- dihareb o Ffrainc

Wedi chwerthin, daw wylo;
Wedi chwarae, ochneidio.

- dywediad o Lydaw

Gorau chwarae, cyd-chwarae.

Nid chwarae, chwarae â thân.

- diarhebion o Gymru

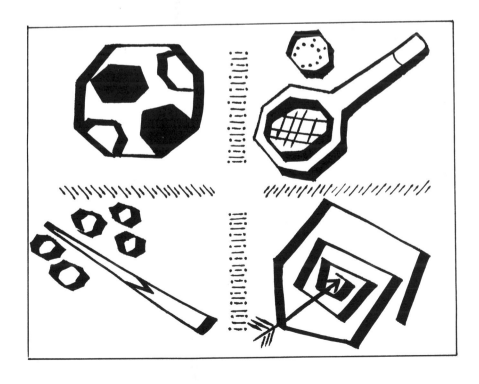

Tair gwennol fach

Olwyn ar y wal,
gwenoliaid yn fy llaw.

Llygaid fel morwr yn chwilio
am arwydd o dir
ar ôl amser maith ar y môr.

Un darn bach o'r pitsa
yn tyfu'n fwy.

Tair hoelen yn hedfan,
cnocell y coed yn taro'r pren.

Tair allwedd mewn un twll clo
yn agor y drws
i fuddugoliaeth.

Blwyddyn 5, 6
Ysgol Cynwyl Elfed

34

Deg babi newydd

Batiau tennis bwrdd
am fy nhraed.

Bwydo enwau
i'r peiriant cyfri.

Craffu fel seryddwr
yn ceisio dal y sêr i gyd
mewn un telesgop.

Dewis pêl
fel rhieni'n dewis enw ar eu babi.

Rowlio i lawr y rynwe
a disgwyl fel disgwyl Dolig.

Afalansh.
Deg o redwyr mewn ras sach
yn disgyn ar draws ei gilydd.

Croes yn fflachio
a theimlo fel Anne Robinson
yn chwalu'r cystadleuwyr o'r llwyfan.

Blwyddyn 4, 5, 6
Ysgol Pentraeth

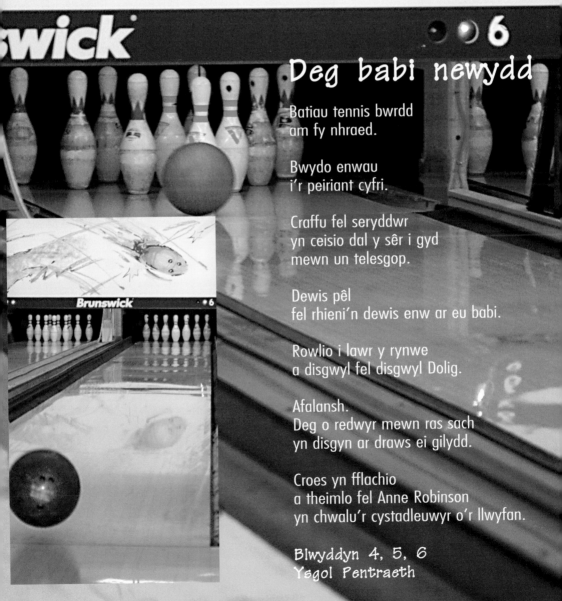

Mathew 007

Mae'r bwrdd o'i flaen
fel lawnt Mrs Jones,
y gwair wedi'i dorri â siswrn ewinedd.

Pen cobra o blanedau Mawrth
yn disgwyl amdano,
a'r blodau lliwgar prin
yn cynnig eu trysorau iddo.

Fel James Bond, mae'n estyn am y laser hir
a chwilio am ffenest agored.
Mae'n disgyn ar ei brae
fel hebog ar gwningen.

Mae'n cusanu'r peli fesul un,
y cyfan yn rhedeg mor llyfn
ag olwynion limosîn.

Haul Hawäi yn yr haf
yn sgleinio ar y cwpan.
Mae'r Fferari'n disgwyl yn y garej.

Blwyddyn 5 a 6
Ysgol Griffith Jones, San Clêr

Rhyfel ddu a gwyn

Mae'r fyddin wen
yn dangos ei dannedd
a daw byddin y tywyllwch
i'w chyfarfod ar y maes mosaic.
Mae'n ddydd a nos, nos a dydd.

Jac y Neidiwr yn disgyn ar ei sglyfaeth
a'r llwynog slei yn taro wysg ei ochr,
daw'r robot i lawr strydoedd Rhufeinig
a'r fellten fuan i chwalu tân drwy'r goedwig.

Mae bylchau yn y rhengoedd
lle bu'r babanod yn cropian
nes dal y goron aur.

A tha waeth pa un ai du neu wyn
sy'n cario'r dydd,
mae'n nos ar y diwedd.

Blwyddyn 5 a 6
Ysgol Glanrafon, Yr Wyddgrug

Gwyndaf yng nghoedwig Dyfnant

Dwylo dail yr hydref ar y llyw,
disgwyl am y faner
fel gwifrau trydan yn y gwynt.

Hir pob aros,
fel disgwyl am gloch amser chwarae.
Mae'r teigr yn ysu am ddod o'i gawell.

Mae'r faner i lawr!
Bwled o wn.
Tarzan yn hedfan drwy'r goedwig.
Sglefrio rownd y tro,
milgi ar ôl cwningen.

Y swigen yn byrstio –
olwyn fflat.
Colli esgid yn y ras,
colli eiliadau.

Wrthi gyda'r sbaners
fel Miss Watkins yn bwyta'i chinio.
Nôl ar y lôn
a'r gobaith fel Calan newydd.
Dyn y map yn caclo fel clagwydd
a'i lygaid fel eryr.

Stryffaglio am y llinell derfyn
fel prawf mathemateg pen.
Tri munud, dau ddeg pum pwynt sai'
eiliad . . .
ENILLWR!

Dosbarthiadau 3, 4, 5, 6
Ysgol y Banw, Llanerfyl

Gadael mynydd

Dringo fel llygoden ar do tŷ;
pry cop mewn powlen sinc.

Carcharu fy hun mewn arfwisg,
peithon o wregysau amdanaf.

Hanner melon am fy mhen.
Agor pilipala ar y llechwedd
a disgwyl stêm amser paned
i godi o'r gwaelodion.

Sbrint fel iâr eisiau croesi ffens,
fflapian fflamingo
a naid ar y trampolîn.

Cangarŵ i'r cymylau
ac mae fy mhen mor ysgafn, mor ysgafn:
rwy'n hofran fel hebog.

Blwyddyn 5 a 6
Ysgol Glan Morfa, Abergele

Un gic yn gwneud gwahaniaeth

Gosod pêl ar y corun gwyn
fel gosod coron ar y cwîn.

Coesau'n crynu ar y llinell,
cath mewn *cul-de-sac*.

Bwled o ergyd
fel chwaer yn cicio pen-ôl ei brawd.

Cath yn neidio am bili-pala,
gwinedd yn crafu'r awyr.

Y bêl fel cimwch yn ei gawell
a'r Nadolig wedi dod yn gynnar
i'r crysau cochion.

Pennau'r lleill i lawr,
fel petai pawb wedi anghofio
am eu pen-blwydd.

Dosbarth 4D
Ysgol Wdig

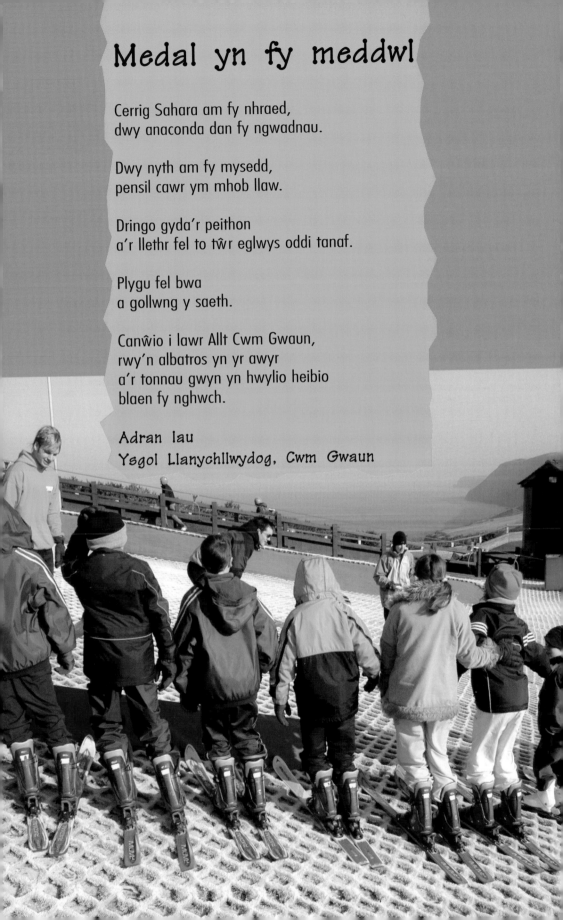

Medal yn fy meddwl

Cerrig Sahara am fy nhraed,
dwy anaconda dan fy ngwadnau.

Dwy nyth am fy mysedd,
pensil cawr ym mhob llaw.

Dringo gyda'r peithon
a'r llethr fel to tŵr eglwys oddi tanaf.

Plygu fel bwa
a gollwng y saeth.

Canŵio i lawr Allt Cwm Gwaun,
rwy'n albatros yn yr awyr
a'r tonnau gwyn yn hwylio heibio
blaen fy nghwch.

Adran Iau
Ysgol Llanychllwydog, Cwm Gwaun

Cam ymlaen, cam yn ôl, cam ymlaen

Ysgwyd ac ysgwyd,
sŵn Mrs Tomos yn ploncio'r piano,
chwarae efo'r gliced
ac agor y drws i mewn i'r gêm.

Symud yn ofalus fel teigr,
cyfri'r sgwariau fel boi banc yn cyfri pres.

Cael fy nghodi yn sydyn,
trwnc eliffant yn fy nghario i'r awyr,
fel llwyddo i gael llwyfan yn yr Eisteddfod Gylch.

Cam gwag, cam yn ôl,
siom fel methu bỳs y trip,
ar ganol adrodd ond anghofio'r geiriau.

Taro'n ôl yn benderfynol.
Dringo'n ofalus
nes cyrraedd y cant.
Hwrê! Diwrnod olaf yr ysgol.

Adran yr Urdd, Llithfaen

Gwenu wrth 'sgwennu

Doeth ydi jiraff — ni wnaiff smic o sŵn ac mae'n gweld ymhell.

- dihareb o Tanzania

Mewn barddoniaeth, mae geiriau'n golygu mwy na be' maen nhw'n ei feddwl.

- bachgen ysgol yng Nghymru

Mae modfedd yn llawer mewn trwyn.

- dywediad o Gymru

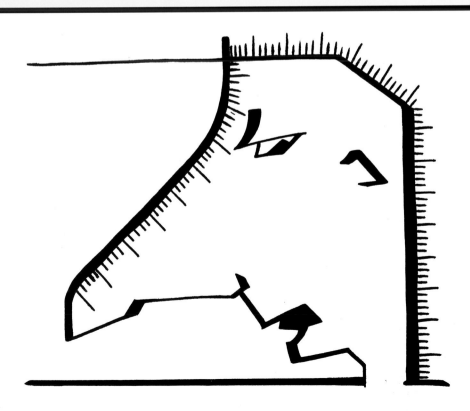

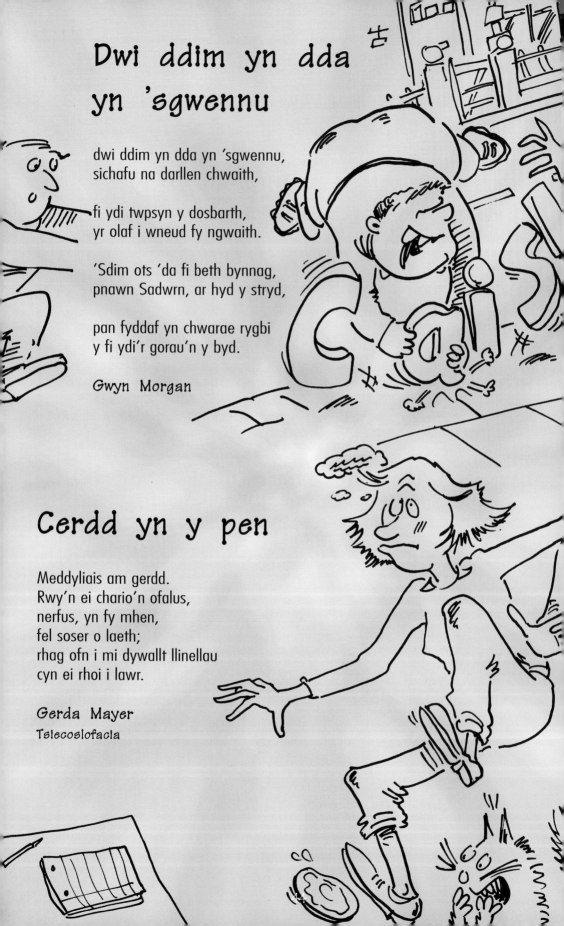

Dwi ddim yn dda yn 'sgwennu

dwi ddim yn dda yn 'sgwennu,
sichafu na darllen chwaith,

fi ydi twpsyn y dosbarth,
yr olaf i wneud fy ngwaith.

'Sdim ots 'da fi beth bynnag,
pnawn Sadwrn, ar hyd y stryd,

pan fyddaf yn chwarae rygbi
y fi ydi'r gorau'n y byd.

Gwyn Morgan

Cerdd yn y pen

Meddyliais am gerdd.
Rwy'n ei chario'n ofalus,
nerfus, yn fy mhen,
fel soser o laeth;
rhag ofn i mi dywallt llinellau
cyn ei rhoi i lawr.

Gerda Mayer
Tsiecoslofacia

Barddoni

Rhyfedd fel mae fy ngherdd yn tyfu
tra 'mod innau'n crebachu.
Mae'n tyfu, yn fy meddiannu.
Mae'n fy hel i o'm lle.
Mae'n fy nhaflu o'r nyth.
Mae'r gerdd yn barod!

Tomas Tranströmer
Sweden

Sut i fwyta cerdd

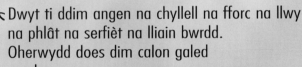

Ta waeth am fod yn gwrtais.
Bwrw iddi.
Bacha hi rhwng bys a bawd a llyfa'r sudd
a fydd yn diferu dros dy ên.
Mae'n aros, mae'n aeddfed, pan wyt ti'n
barod amdani.

Dwyt ti ddim angen na chyllell na fforc na llwy
na phlât na serfièt na lliain bwrdd.
Oherwydd does dim calon galed
na choesyn
na phlisgyn
na charreg
na had
na chroen
i'w daflu ymaith.

Eve Merriam
Unol Daleithiau
America

Pam dy fod ti'n sgwennu cerddi?

Am fod 'na dwll yn fy stumog,
Am fod fy ngwddw yn grimpiog
Am fod 'na oglais yn fy motwm bol
Am mod i'n galon wreichionog.

Nanao Sakaki
Siapan

Cerdd rhag ofn

Mae gan bob bardd byd-enwog
Ddarn o farddoniaeth heb ei orffen
Darn sydd,
Fel rheol,
Yn ychwanegu at ei fawredd.
Felly, rhag ofn i mi farw
Rhwng dwy gerdd,
Heb fod yn fyd-enwog,
Penderfynais ysgrifennu
Cerdd anorffenedig,
A hon, mae'n debyg,
Fydd yr . . .

Dewi Pws

Cerdd

Cerdd ddi-odl ydwyf,
dyma f'ail linell
a dyma'r drydedd.
Mae gen i bymtheg o linellau
y'n cynnwys saithdeg o eiriau.
Nid wyf yn dlws,
nid wyf yn hyll,
ond rydw i'n wahanol i gerddi eraill
am nad wyf yn disgrifio dim
ond fi fy hun;
Nid yw lle na pha bryd na phwy
a'm hysgrifennodd
o bwys i neb.
Does gen i ddim teitl ac rwy'n
diweddu yn
wta.

Valmai Williams
addasiad o waith Nich Toczek

Yr hysbyseb

Fe'i gwelais yn *Yr Herald*
Ymhlith yr hys-bys mân:
'FEIRDD — YDYCH CHI'N CAEL TRAFFERTH
WRTH GEISIO SGWENNU CÂN?
YDI'R AWEN YN DIFLANNU
A CHITHAU AR GANOL CERDD?'
'Wel, ydi braidd,' meddyliais . . .

Geraint Løvgreen

Dwi am fod yn fardd

Dwi am ddal gwiwerod yn yr hen gyll
a'u gollwng ar drapîs yn y Babell Lên;

Dwi am sgota'r pyllau gydag enfys
a cheisio dal cynffonnau dan y cerrig,
a hoi lluniau ar y dŵr llonydd;

Dwi am hel sbrings o ffynhonnau dwfn,
eu blastio, a'u powltio
o dan hen geir; hen eiriau;

Dwi am hympio amps,
a mynd ag englynion ar dramps,
a cadw cwmni drwg drwy'r oriau mân:
awen, cynghanedd, cân;

Dwi am ofyn am oriad y drws
a chynnal parti llawn duwiesau tlws,
bod yn afradlon, er gwybod yn well,
a ffonio'n hwyr o'r llefydd pell;
Dwi am fod yn un o feirdd fy ngwlad . . .

Ond be ddwedith Mam a Dad?

Myrddin ap Dafydd

Pe bawn

Pe bawn i'n bêl-droediwr, un enwog iawn,
A thŷ yn rhywle, rhywle,
A fyddet ti'n dod mas 'da fi?
'Falle!

Pe bawn i'n filiwnydd, un enwog iawn
A char ymhlith y druta',
A fyddet ti'n dod mas 'da fi?
Hwyrach!

Pe bawn i'n gitarydd, un enwog iawn
A gwisgoedd hynod, hynod,
A fyddet ti'n dod mas da fi?
Gall fod!

Mae arna'i ofn mai bardd wyf i,
Un llwm yn byw yn Sarne,
A fyddet ti'n dod mas da fi?
O'r gore!

Gwyn Morgan

50

E-bost gwirion bost

Neges newydd.
At: Pwy bynnag sy'n darllen hwn.
Pwnc. Pwy ŵyr?
Clic.
Annwyl gyfaill, rwy'n dy ddychmygu di
er nad ydym wedi cwrdd
ac na fyddwn byth yn cyffwrdd
ond drwy fysedd main y we.
Rwyt ti'n eistedd o flaen dy gyfrifiadur
ar garped glaswellt
yn anwybyddu'r awyr agored
mewn cae pell i ffwrdd yn rhywle.
Rwyt ti'n crafu dy allweddell mewn penbleth,
wrth ystyried beth i'w deipio nesa' —

bysedd chwim sy'n gwneud y meddwl cymhleth drosot ti.
Ti ddim wedi agor dy geg i yngan gair â neb
ers blwyddyn a mwy,
ti'n cyfathrebu drwy dap-tap llythrennau sgwâr
a chadw bywyd go iawn hyd braich — aeth sgwrsio'n faich.
Os wyt ti'n derbyn y neges hon — paid â'i dileu;
gad dy gyfrifiadur
a thyrd i chwilio amdana' i.
Rwy'n disgwyl yma amdanat ti.
Clic. Danfon nawr.

Elinor Wyn Reynolds

51

A.B.X.?

Mewn geiriaduron da o hyd
Mae llythrennau bach yn brysur
Pob un yn sefyll gefn wrth gefn
Yn cadw trefn ar ystyr.
Ond petai dim ond un o'r rhain
Yn penderfynu crwydro
Wel mi fyddai hi'n wahanol fyd
A ninnau'i gyd yn mwydro.

Beth petaech chi ar ddiwedd dydd
Rhyw awr cyn mynd i'r gwely
Yn gofyn 'Mam dwi'n blentyn da
O plîs gai wylio'r **J**eli?'

Beth petai'r gw'nidog ar y **M**ul
Yn dweud wrth pawb yn dawel
Ei fod yn disgwyl gweld nhw'i gyd
Yn selog yn y ca**M**el?!
A beth petasai fo rhyw ddydd
Yn priodi m**A**rch a b**W**chgen
A'r **N**am-yng-nghyfraith yno'n falch
yn rhoi ei**TH**in ar y **D**a**T**en??

Rhaid i lythrennau gadw'u trefn
Yn gyson, neu bydd pobl,
Fel roedd Ifan **P**yrci **P**enau'n dweud
Yn gwneud dim **T**en**T** o g**O**bl.

Tony Llewelyn

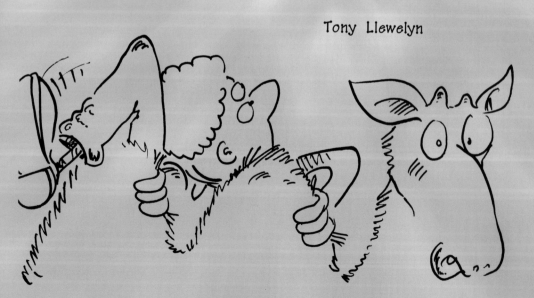

Holi am stori

Pan fydd yr heliwr yn dod o'r goedwig yn cario madarch, paid â'i holi am hanes yr helfa.

- o iaith yr Ashanti

I wybod am y ffordd o'th flaen, gofyn i'r rhai sy'n dod yn ôl.

- dywediad o Tseina

Dwedai hen ŵr llwyd o'r gornel,
'Gan fy nhad mi glywais chwedel,
A chan ei daid y clywsai yntau,
Ac ar ei ôl mi gofiais innau.'

- Hen bennill Cymraeg

Camp Ifor Bach

Mae'r gwylwyr yn cerdded o amgylch y mur
Bob un wedi'i wisgo mewn arfwisg o ddur,
A phob un â chleddyf yn dynn yn ei law
I gyfarch y gelyn, os digwydd y daw;
Ond distaw yw'r castell, a thywyll yw'r nos,
Heb lewych un seren i'w weld yn y ffos.

Ond ust! dacw rywun yn dringo i'r mur
Yn gyflym a distaw â'i law ar ei ddur.
O'i ôl daw un arall ac eraill yn rhi',
A disôn y deuant heb dwrw na chri.
Rhy hwyr i'r ddau wyliwr roi rhybudd na llef,
Daeth Ifor i'w trechu fel mellten o'r nef!

Gorwedda'r hen farwn ar wely o frwyn,
Ac esmwyth ei gwsg o dan gwrlid o grwyn,
Ond deffry o'i freuddwyd mewn dychryn a braw
I ganfod gwŷr Ifor yn sefyll gerllaw,
Ac ni chaiff ymwared gan farchog na gŵr –
Daeth gwŷr Ifor Bach i gadernid ei dŵr!

'Clyw, farwn,' medd yntau, 'ni fynnwn dy ladd;
Cei'r parch sy'n ddyledus i wrda o'th radd,
Ond rhaid iti heno yw gadael y llys,
A dyfod i hendref Senghennydd ar frys.
Cei yno bob croeso i win ac i wledd,
Ni bydd iti niwed – fy ngair ar fy nghledd!'

O'i wely cyfododd y barwn yn syn,
A'i wyneb gan bryder yn welw a gwyn,
A draw i Senghennydd aeth yntau am dro,
Nes caffael o Ifor hen hawliau ei fro.
'Rôl selio pob siartr, dychwelodd yn rhydd
I fyw yn heddychlon hyd ddiwedd ei ddydd.

I Ifor boed clod tra fo telyn a thôn,
Hir, hir am ei orchest bu Cymru yn sôn;
Er pelled ei oes, mwyn yw cofio ei waith,
Ac ni bydd yn angof tra Cymru a'i hiaith;
Diflannodd ei henllys a'i gadlys o'r ddôl,
Ond erys ei enw'n anfarwol o'i ôl!

Edgar Phillips

Cân y glöwr

*(i'r miloedd o lowyr a daflwyd ar y clwt gan
Lywodraethau Llafur a Thori yn yr ugeinfed ganrif.)*

Fe gerddai henwr yn araf
I lawr hyd heol y cwm;
Heibio i'r stryd lle bu'n chwarae gynt
Ond heddiw oedd yn unig a llwm.

Roedd creithiau'r glo ar ei dalcen
A chyrn o'r pwll ar ei law
Ac wrth iddo gerdded hyd lwybr y gwaith
Fe glywai rhyw leisiau o draw.

Fe glywai leisiau y glowyr
Wrth weithio yn nhwyllwch y ffâs
Alun Tŷ Canol a'i denor mor fwyn
A Tomos yn cyd-ganu'r bas.

Fe gofiai am hwyl yr hen ddyddie
Pan oedd bywyd y cwm yn ei fri.
Fe gofiai y capel a'r llyfrgell yn llawn
Lle heddiw does ond dau neu dri.

A heno mae Tomos ac Alun
Yn naear y fynwent ill dau
A does dim ar ôl yn awr i'r hen ŵr
Ond atgofion, a phwll wedi cau.

Dafydd Iwan
© Cyhoeddiadau Sain

Llongau Madog

Wele'n cychwyn dair ar ddeg
O longau bach ar fore teg;
Wele Madog ddewr ei fron
Yn gapten ar y llynges hon.
Mynd y mae i roi ei droed
Ar le na welodd dyn erioed;
Antur enbyd ydyw hon,
Ond Duw a'i deil o don i don.

Sêr y nos a haul y dydd
O gwmpas oll yn gwmpawd sydd;
Codai corwynt yn y de
A chodai'r tonnau hyd y ne'.
Aeth y llongau ar eu hynt
I grwydro'r môr ym mraich y gwynt,
Dodwyd hwy ar dramor draeth
I fyw a bod er gwell er gwaeth.

Wele'n glanio dair ar ddeg
O longau bach ar fore teg,
Llais y morwyr glywn yn glir
'R ôl blwydd o daith yn bloeddio 'Tir!'
Canent newydd gân ynghyd
Ar newydd draeth y newydd fyd, —
Wele heddwch i bob dyn,
A phawb yn frenin arno'i hun.

Ceiriog

Y llwynog a'r frân

(seiliedig ar un o chwedlau Esop)

Fe welodd y frân doc bychan o gaws:
'A-ha!' ebe hi, 'ni fydd dim yn haws
Na disgyn arno heb oedi dim
A'i ddwyn i'm coeden i'w fwyta'n chwim.'
A chyn y medrech chi gyfri' deg
Roedd fry ar y gangen a'r caws yn ei cheg.

Roedd llwynog yn cerdded o dan y coed,
Y llwynog cyfrwysa' a fu erioed;
Safodd yn sydyn 'rôl gweld ar y brig
Y frân yn oedi a'r caws yn ei phig.

'Yn wir,' meddai ef, 'yr wyt ti'n un ddel,
Ni welais erioed aderyn mor ffel,
Dy blu sydd mor raenus, yn sglein i gyd,
A'th ddau lygad gloyw fel perlau drud,
Ond dyna drueni dy fod heb gân,
Peth trist yw aderyn mud, Meistres Brân.'

Meddyliodd hithau: 'Rhaid dangos i'r byd
Ac i bob llwynog nad ydwyf yn fud!'
Agorodd ei phig i roi cân yn awr
A chollodd ei chaws, aeth hwnnw i'r llawr!

'O, diolch, diolch,' ebe'r cadno coch
A'i gadael hithau i grawcian yn groch.

W. Rhys Nicholas

Owain Lawgoch (1340-78)

Pwy yw yr hwn sydd yn croesi'r don,
Pwy yw yr hwn y mae sôn
Am ei longau chwim a'i filwyr dewr,
O Fynwy i Ynys Fôn?

Pwy yw yr hwn sydd yn gyrru'r Sais
O feysydd Ffrainc ar ffo?
Pwy yw yr hwn y mae'r Clêr â'u cainc
Yn moli ei enw o?

Owain o hil Llywelyn Fawr,
Owain y coch ei law;
Owain y coch ei gledd a'i saeth
Sy'n morio o Harfleur draw.

Yn morio a'i wŷr yn eu gwyrdd a'u gwyn,
Pob un gyda'i fwa hir;
Owain y Gwalch, y morgenau balch,
Sy'n dychwel yn ôl i'w dir.

Yn ei longau chwim, dan eu hwyliau gwyn,
Y gwynt a'r don o'i du;
Pennaeth y Gad, a Gobaith ei Wlad
Sy'n dod gyda'i filwyr lu.

Fflamier y goelcerth o ben pob bryn,
Seinier yr utgorn clir;
Owain sy'n dod, y mawr ei glod,
A'i wŷr gyda'r bwa hir.

Owain o hil Llywelyn Fawr,
Owain y coch ei law,
Owain y coch ei gledd a'i saeth
Sydd yn morio o Harfleur draw.

I. D. Hooson

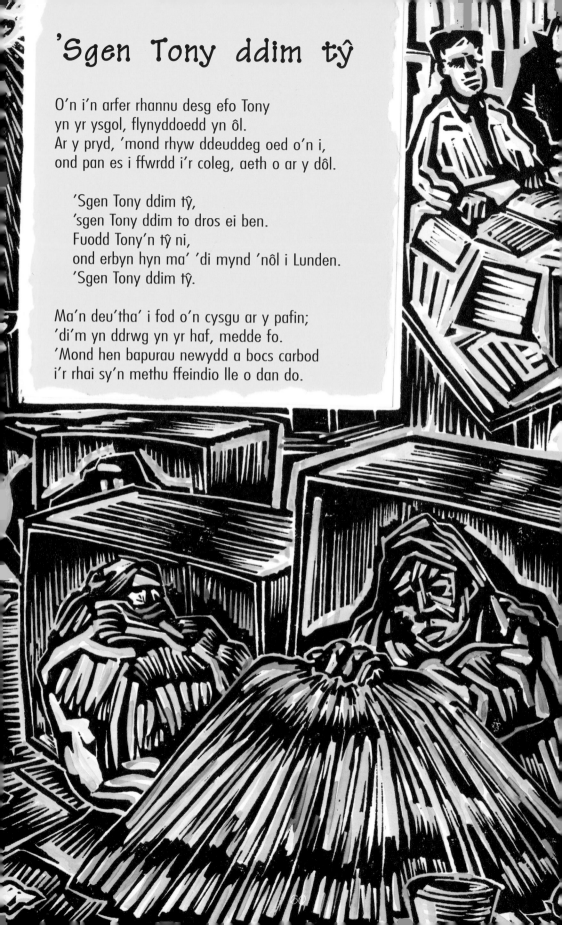

'Sgen Tony ddim tŷ

O'n i'n arfer rhannu desg efo Tony
yn yr ysgol, flynyddoedd yn ôl.
Ar y pryd, 'mond rhyw ddeuddeg oed o'n i,
ond pan es i ffwrdd i'r coleg, aeth o ar y dôl.

   'Sgen Tony ddim tŷ,
   'sgen Tony ddim to dros ei ben.
   Fuodd Tony'n tŷ ni,
   ond erbyn hyn ma' 'di mynd 'nôl i Lunden.
   'Sgen Tony ddim tŷ.

Ma'n deu'tha' i fod o'n cysgu ar y pafin;
'di'm yn ddrwg yn yr haf, medde fo.
'Mond hen bapurau newydd a bocs carbod
i'r rhai sy'n methu ffeindio lle o dan do.

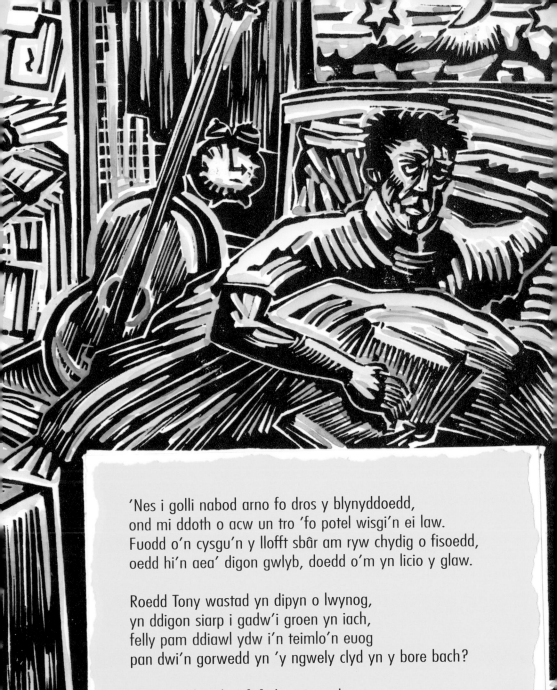

'Nes i golli nabod arno fo dros y blynyddoedd,
ond mi ddoth o acw un tro 'fo potel wisgi'n ei law.
Fuodd o'n cysgu'n y llofft sbâr am ryw chydig o fisoedd,
oedd hi'n aea' digon gwlyb, doedd o'm yn licio y glaw.

Roedd Tony wastad yn dipyn o lwynog,
yn ddigon siarp i gadw'i groen yn iach,
felly pam ddiawl ydw i'n teimlo'n euog
pan dwi'n gorwedd yn 'y ngwely clyd yn y bore bach?

Na'th o ddeu'tha' fi fod o isio setlo,
tasa fo 'mond yn ffeindio stafell i fyw.
'Nes i'm cynnig y llofft sbâr iddo fo eto.
Ydi, mae o'n hen ffrind, ond ma' gen i 'mywyd i fyw.

   'Sgen Tony ddim tŷ.

Geraint Løvgreen
© Cyhoeddiadau Sain

61

Y Fantell Fraith

(rhan o'r faled)

Plant!
O! dyna i chwi blant! Tyrfaoedd direol
Yn brysio o bobman i ganol y heol;
Yn rhedeg, yn trotian, yn cerdded, yn cropian,
Pob llun a phob oedran yn ddiddan a llon;
   A'u gruddiau rhosynnog,
   A'u pennau bach cyrliog,
A'u llygaid chwerthinog cyn lased â'r don:
Genethod a bechgyn yn dawnsio wrth ddilyn
Y cerddor a'i delyn at ymyl y dŵr,
   Dros briffordd y Brenin
   Hyd at lannau Cennin;

Ac yna, arafodd a safodd y gŵr;
   A'r bobl yn synnu,
   Yn gwelwi a chrynu;
Ond heibio i'r afon y cerddodd y gŵr;
   I fyny i'r mynydd,
   A'r plant mewn llawenydd
Yn dilyn o hyd yn ei gamau ef;
   Yn rhedeg, yn trotian,
   Yn cerdded, yn cropian,
Heb falio am degan na dim dan y nef
Ond miwsig dihafal ei delyn ef;
   A'r mynydd yn agor
   O flaen y telynor
Ac yntau yn arwain ei fintai i'w gôl!
   Y gruddiau rhosynnog,
   Y pennau bach cyrliog,
Ac ni ddaeth na bachgen na geneth yn ôl!

Ac O! y galaru yn Llanfair-y-Llin!
Y cwyno a'r wylo yn Llanfair-y-Llin!
Y siopau'n gaeëdig a'r llenni i lawr,
A'r bobl yn tyrru i'r eglwys yn awr:
   Y mamau a'r tadau,
   Â'u gruddiau yn ddagrau,
Yn plygu eu pennau, yn plygu y glin,
A phawb yn gweddïo yn Llanfair-y-Llin.

I.D. Hooson

Dychymyg

Dwed ychydig a dwed hynny'n dda.

— dywediad o Iwerddon

Does dim rhaid cael tywyllwch i weld mellten.

— dywediad o Tibet

Mae defaid gwynion ar y môr.

— dywediad o Geredigion

Mam wnaeth got i mi

Gofynnais i'r titw bach
Ble gest ti got mor las?
A dyma'r ateb ges i —
O Mam wnaeth got i mi o ddarn o'r awyr fry
Pan oedd hi'n ganol haf.

Gofynnais i'r deryn du
Ble gest ti liw dy blu?
A dyma'r ateb ges i —
Mam wnaeth got i mi o ddarn o'r awyr fry
Pan oedd hi'n ganol nos.

Gofynnais i'r deryn to
O ble daeth ei got fach o?
A dyma'r ateb ges i —
O mam wnaeth got i mi
      o ddarn o'r awyr fry
Pan oedd hi'n bwrw glaw.

Gofynnais i'r robin goch
Ble gest ti got mor goch?
A dyma'r ateb ges i —
O mam wnaeth got i mi
      o ddarn o'r awyr fry
Pan oedd hi'n machlud haul.

Dafydd Iwan
© Cyhoeddiadau Sain

64

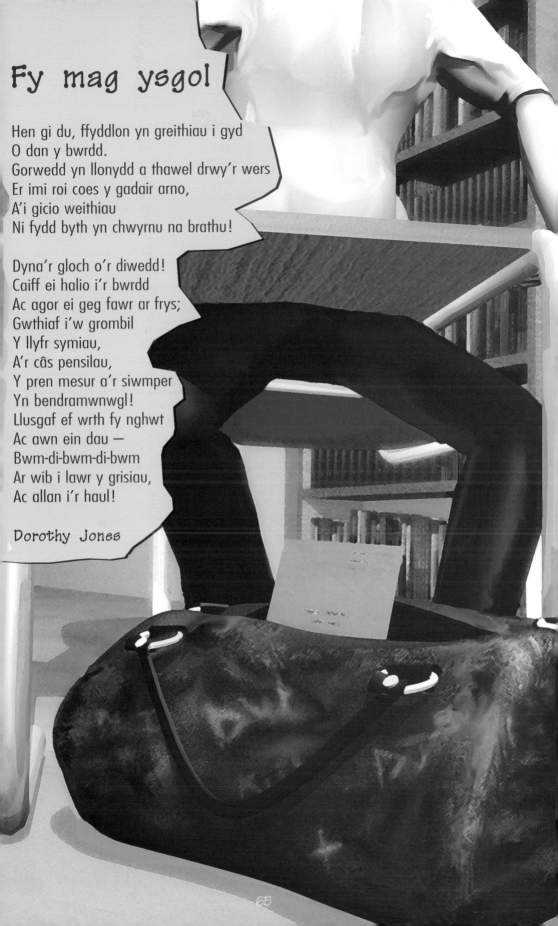

Fy mag ysgol

Hen gi du, ffyddlon yn greithiau i gyd
O dan y bwrdd.
Gorwedd yn llonydd a thawel drwy'r wers
Er imi roi coes y gadair arno,
A'i gicio weithiau
Ni fydd byth yn chwyrnu na brathu!

Dyna'r gloch o'r diwedd!
Caiff ei halio i'r bwrdd
Ac agor ei geg fawr ar frys;
Gwthiaf i'w grombil
Y llyfr symiau,
A'r câs pensilau,
Y pren mesur a'r siwmper
Yn bendramwnwgl!
Llusgaf ef wrth fy nghwt
Ac awn ein dau —
Bwm-di-bwm-di-bwm
Ar wib i lawr y grisiau,
Ac allan i'r haul!

Dorothy Jones

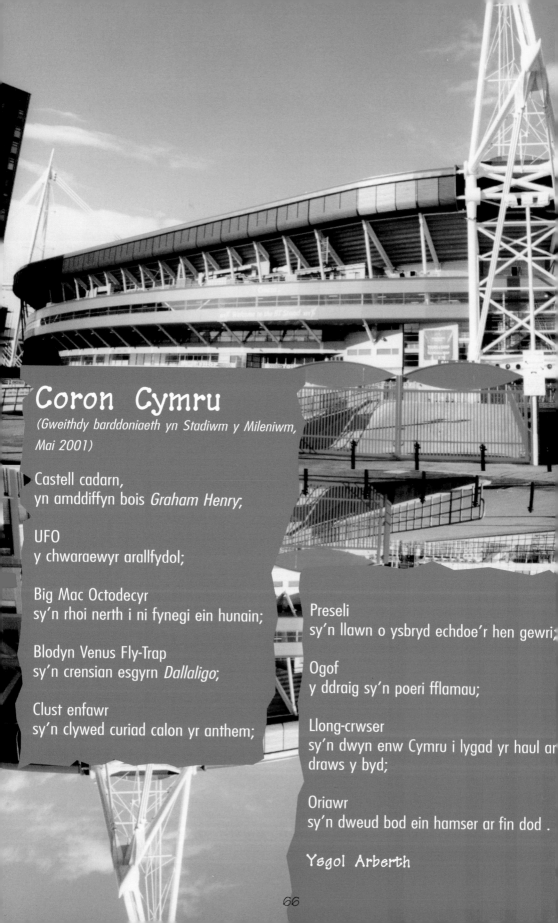

Coron Cymru

(Gweithdy barddoniaeth yn Stadiwm y Mileniwm, Mai 2001)

Castell cadarn,
yn amddiffyn bois *Graham Henry*;

UFO
y chwaraewyr arallfydol;

Big Mac Octodecyr
sy'n rhoi nerth i ni fynegi ein hunain;

Blodyn Venus Fly-Trap
sy'n crensian esgyrn *Dallaligo*;

Clust enfawr
sy'n clywed curiad calon yr anthem;

Preseli
sy'n llawn o ysbryd echdoe'r hen gewri;

Ogof
y ddraig sy'n poeri fflamau;

Llong-crwser
sy'n dwyn enw Cymru i lygad yr haul ar
draws y byd;

Oriawr
sy'n dweud bod ein hamser ar fin dod .

Ysgol Arberth

Y Briallu

Mi welais heddiw'r bore
Yr aur melyna' 'rioed;
'Roedd rhai o dan y perthi,
Ac eraill yn y coed;
Pwy meddwch chwi a'u collodd,
Mewn llwyn, a phant, a ffos?
Mae nain yn dweud mai'r Tylwyth Teg,
Wrth ddawnsio yn y nos.

Elfion Wyn

Enwau

A glywsoch chi sôn am J. Sebra Davies
Neu R. Eliffant Williams neu Thomas?
A glywsoch chi sôn am S. Crocodeil Vaughan
Neu O. Hippopotamus Parry?
   Os ydych chi'n syn
   Wrth glywed enwau fel hyn,
Beth wnewch chi o T. Llew Jones?

Gwyn Thomas

Ffrindiau

Mae ei gwallt yn flasus fel mango,
A'i llygaid yn frown fel ciwi,
mae ganddi drwyn bach fel ceiriosen.

A bochau tew fel afalau braf,
Ceg fawr fel melon.
A gwefusau coch fel mefus,
Mae ei hwyneb fel bowlen o ffrwythau.
Dyma fy ffrind gorau.

Neesha Brown
Ysgol Gynradd Sant Curig

Anifeilaidd 'ta 'be?

Mae brech yr ieir ar Meira
a'r eryr ar Rowena.
Ond sut yn y byd y medrodd Dei
gael defaid yn ei glustia?!

Marglad Roberts

Lle bach tlws

Y mae yno goed yn tyfu
O gwmpas y lle bach tlws,
A dim ond un bwlch i fynd drwodd,
Yn union 'run fath â drws.

Mae gwenyn o aur ar y brigau,
A mwclis bach coch ar y coed,
A merched bach glân yno'n dawnsio
Na welsoch eu tebyg erioed.

Dywedais wrth Idris amdano —
Mae Idris yn ddeuddeg oed —
Ond erbyn mynd yno, 'doedd Idris
Yn gweled dim byd ond coed.

T. Gwynn Jones

Byd bach Harri a William

I ddau o'r Dosbarth Derbyn
Mae ffarmo yn ffordd o fyw,
Harri Fôn o Barc y Wern
A William Llys y Dryw.

Sŵn enjins tractors gwyrdd a choch
Sy'n llenwi'n ysgol ni,
Rowndio'r defed, casglu'r da
A gweiddi ar Jim y ci.

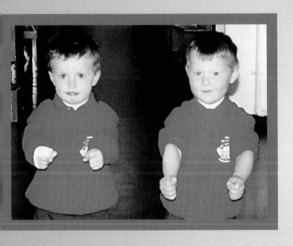

Codi blociau Lego lan,
Rhoi beic â'i ben i lawr,
Jacio'r tractor, newid oel
Cyn mynd i'r Mynydd Mawr.

Amser chwarae, bwydo'r praidd,
Sioned a'i thri oen bach,
Cynffon yr oen swci'n dweud
Ei fod yn sugno'n iach.

Perci yw pob dosbarth nawr
Mae pob un drws yn iet,
Y coridor sydd yn feidir hir
I gyrraedd at y fet.

Mae'r gôl yn sied, yr iard yn weun,
A beudy bach yw'r Den,
Mewn land-rofer dringo wnânt
Cas-fuwch, reit lan i'w ben.

Dau hapus yn eu byd bach nhw
Yn llawn dychymyg byw,
Harri Fôn o Barc y Wern
A William Llys y Dryw.

Ysgol Cas-mael

Sêr

Y sêr yw:
Pob Titw a Thomos sy'n canu'n y coed,
Pob calon a dorrwyd gan gariad erioed,
Pob gwyrth a rhyfeddod sydd heno ar droed,

Pob bwgan sy'n llechu mewn pwll ac mewn pant,
Pob deigryn a gollwyd ar ôl tynnu dant,
Pob gronyn o dywod ar wely pob nant.

Pob angel sy'n eistedd ar gwmwl mawr gwyn,
Pob 'sgodyn sy'n nofio yn nyfnder y llyn,
Pob llygad bach gloyw sy'n edrych yn syn,

Pob gair a phob brawddeg trwy'r gwledydd i gyd,
Pob cwestiwn a godwyd ers dechrau y byd,
Pob plentyn fel finna sy'n holi o hyd,
dyna yw'r sêr.

Mei Mac

Blwyddyn o ddathlu

Mae un amser yn geni'r nesaf.

— dywediad o Lydaw

Os collir y bore, ni ddelir mohono cyn y nos.

Bu weithiau heb haf, byth heb wanwyn.

Haf tan Galan; Gaeaf hyd Fai.

— diarhebion o Gymru

Dim ond heddiw tan yfory
Dim ond fory tan y ffair.

— hen rigwm o Gymru

73

Misoedd Romani
(yn Romani enwir pob mis am ei weithgarwch)

Mis yr eira
plu yn gwlana
a'r mis bach du
gwrandewch ar ei ru;
mis y gwynt
wrth fynd ar ei hynt
mis y glaw,
pyllau dŵr a baw,
mis y ddraenen wen
yn gymylau uwchben
mis yr haf
a'i hindda braf,
mis y gwair,
dim amser am air,
mis yr ŷd
ei gasglu mewn pryd:
cyn mis y draenogod
yn dwmpathau hynod,
mis y cynhaeaf
a'i lawnder i'r gaeaf,

mis dychweliad yr eog
a'i lli rhaeadrog,
mis DUW —
diwedd blwyddyn yw.

Menna Elfyn

Plant bach Cymru ydym ni
Yn canu ein carolau,
Peidiwch chi â gyrru'r ci
I redeg ar ein holau.
Blwyddyn Newydd Dda i chi
A phawb o'r teulu serchog,
Dewch benteulu atom ni
A rhowch i ni geiniog.

Hen bennill wrth
ganu Calennig

74

Eirlys

Trwy dywyllwch y daethoch
Yn egwan, yn wyn,
Yn anorchfygol orfoleddus
Ddarnau bychain bach o wanwyn.

O dduwch hen y ddaear
Yn glystyrau glân
Daethoch gydag angerdd
Grym tafodau tân.

Gwyn Thomas

Ar gyfer dathlu Dydd Santes Dwynwen (Ionawr 25ain)

Ynys Llanddwyn

Mi hoffwn fyw ar Ynys Llanddwyn
Mewn bwthyn gwyn uwch ben y lli,
Gwylio adar y môr bob bore,
A dy gael di gyda mi.

Mae'r môr yn las rownd Ynys Llanddwyn,
Ac ynddo fe ymolchwn ni,
Lle mae'r adar yn pysgota,
O dwed y doi di gyda mi.

Gorwedd ar y traeth a theimlo heulwen yr haf,
Paid â phoeni am y glaw mae tonnau'r môr yn brat
Mae eglwys Dwynwen ar Ynys Llanddwyn,
Ac ynddi fe weddïwn ni,
Gofyn iddi santes cariadon,
A ddoi di yno gyda mi.

Gorwedd ar y traeth a theimlo heulwen yr haf,
Paid â phoeni am y glaw mae tonnau'r môr yn brat
A phan ddaw'r nos ar Ynys Llanddwyn,
Pan fydd yr haul a'r môr yn cwrdd,
Eisteddaf wrth y tân yn fy mwthyn,
Efallai nad af byth i ffwrdd.

Emyr Huws Jones
© Cyhoeddiadau Sain

Cennin Pedr

O agor y ddôr yr oedd yno
Ar fwrdd, yn llonydd, gyffro
Powlenaid o oleuni
A ffanffer o utgyrn melyn
Yn llawen-lawn o wanwyn
Yn seinio — 'Deffro!
Deffro!'

Gwyn Thomas

Modryb Elin Ennog

Mae 'ngheg i'n grimp am grempog;
Mae Mam yn rhy dlawd i brynu blawd,
A Siân yn rhy ddiog i nôl y triog,
A Nhad yn rhy wael i weithio
Os gwelwch chi'n dda, ga'i grempog?

Hwiangerdd

Os wyt Gymro

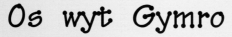

Os wyt Gymro hoff o'th wlad,
A hoff o'th dadau dewrion,
Cadw gŵyl er mwyn dy had —
Ni waeth beth ddywed estron, —
Gwisg genhinen yn dy gap,
A gwisg hi yn dy galon.

Os wyt Gymro hoff o'th iaith,
A hoff o'i bardd a'i phroffwyd
Heddiw twng y filfed waith
I'w chadw fel ei cadwyd:
Boed yn amlaf ar dy fin,
Boed olaf ar dy aelwyd.

Os wyt Gymro hoff o'th Sant,
A hoff o'r cysegredig;
Cadw gŵyl, er mwyn dy blant
I Ddewi, ŵyr Ceredig; —
Cas yw'r gŵr nas câr ei wlad,
Boed dlotyn neu bendefig.

Eifion Wyn

78

Calan gaea

Ffaldiraldi, ffaldiraldo,
Mae rhywun yn gwylio drwy dwll y clo.
Mae'r noson yn dywyll a'r lleuad yn llawn
Tybed pwy sy 'na? Ti'n gwbod yn iawn.

Bwydwch y tân, mae hi'n noson mor oer,
Cysgodion yn dawnsio o gwmpas y lloer,
Cymyle yn casglu a gyrru tua'r de,
Mae ysbryd y fall yn trigo'n y lle.

Ffaldiraldi, ffaldiraldo,
Mae rhywbeth yn crafu ar lechen y to.
Caewch y llenni —mae rhywbeth tu fas —
Mi glywaf ddrygioni, mi deimlaf ei ias.

Mae ysbryd anfadwaith yn frith yn y fan,
A sŵn ysgelerder 'da stlumod y llan,
Mae'r diafol yn brysur, mae'n ddeuddeg o'r gloch,
Mae'i weision yn galw a'u lleisie yn groch.

Ffaldiraldi, ffaldiraldi,
Mae ysbryd y llan yn pasio drwy'r tŷ.
Mae anadl gwrachod yn oeri y fro
Ac yn y goeden, mae bwci bô.

Mae tarth ar yr afon
             yn ddu fel y frân,
mae'r gwenith yn pydru,
          mae'r goedwig ar dân,
Ellyllon yn clochdar,
         mae sgrech yn y ffos,
Tyrfe a llyched yn torri drwy'r nos.

Ffaldiraldi, ffaldiraldo —
Calan Gaea'.

Dewi Pws

Mae heno'n nos Glangaea',
A bwci ar bob camfa,
A Jac-y-lantern ar yr hewl —
Rhaid mynd neu ca' fy nala.

Hwiangerdd

Er inni dy wisgo'n gynnes,
a mynd â thi am dro yn dy goets —
er inni ddweud y drefn wrth Grwndi
am gnoi'r botwm ar dy wasgod –
er inni redeg ar ôl dy het wellt
wedi i'r gwynt ei chipio – awn â thi heno

Guto druan!

Bron nad oeddet yn ein hateb!

Tachwedd y pumed

Mae'r nos yn dwrdio
yn y simne,
a'r glo yn gwenu'n goch.

Dyma'r calendr
lle bûm yn torri'r dyddiau
er cychwyn Hydref.

Dyma'r bocs
lle mae'r lliwiau anweledig
a chlecian distaw.

A dacw Guto.

Guto druan!
A ninnau wedi edrych ar dy ôl
yn feddygon.

Dy osod yn gysurus
fel brenin ar ben y brigau
er mwyn cael gweld
dy lygaid caredig
a'th fochau'n pwffian chwerthin.

A llosgwn di.

Ond efallai y daw'r glaw
cyn hynny.

John Hywyn

A chofiwn ei eni Ef

Cofiwn y preseb a'r gwely'n y gwair,
Cofiwn y baban a anwyd i Mair,
Cofiwn ei fywyd a chofiwn ei Air
A chofiwn ei eni Ef.

Mae'r goeden Nadolig a'r hosan yn llawn
A brigau'r gelynnen yn goch gan y grawn,
Ar ddydd gŵyl yr Iesu cyd-ganu a wnawn
A chofiwn ei eni Ef.

Gwefusau yr afon wedi cloi yn dynn,
Pibonwy dan y bargod a rhew ar y llyn,
Yr eira yn gorwedd fel cwrlid mawr gwyn
A chofiwn ei eni Ef.

Mae'r teulu'n barod ar gyfer y wledd
A'r milwr yntau yn gweinio ei gledd,
Ar draws pum cyfandir ceir ennyd o hedd
I gofio ei eni Ef.

Dafydd Iwan

Blwyddyn o liwiau

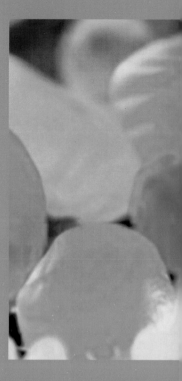

Ionawr sydd yn fferru'r llyn,
a chlecian mae fy nannedd gwyn.

Bwgan ydy'r hen fis bach
a'i nos yn ddu fel clogyn gwrach.

Mawrth sy'n felyn drosto i gyd
a chennin ar ei frest o hyd.

Mae gan Ebrill frws paent gwyrdd
i beintio'r wlad o bobtu'r ffyrdd.

Het fioled sydd gan Mai,
hi yw'r harddaf a dim llai.

Mehefin wedyn, pinc yw hon,
fel y candi fflos ar ffon.

Gorffennaf sydd yn rhedeg ras
a'i lygaid fel yr awyr las.

Dwylo Awst sy'n aur i gyd,
yn y cwm mae caeau ŷd.

O Gaerdydd i Abersoch,
Mae Medi'n llawn o aeron coch.

Hydref sydd yn drwm ei droed
a'i 'sgidiau'n frown fel dail y coed.

Mae gan Dachwedd gôt fawr lwyd,
crwydro mae o Fôn i Glwyd.

Llwm yw Rhagfyr bron pob awr,
ond am ryw hyd mae'n enfys fawr.

Mel Mac

Meddal y tu mewn

Paid â chroesi'r bont cyn dod ati.

— dywediad o Loegr

Mae'r plentyn a losgodd ei fys yn ofni'r tân.

— dihareb o Iwerddon

Yr awr dywyllaf yw'r un cyn y wawr.

Crogir ci lladd defaid
  hyd yn oed os nad yw'n lladd defaid.

I galon wan, da traed buan.

— diarhebion o Gymru

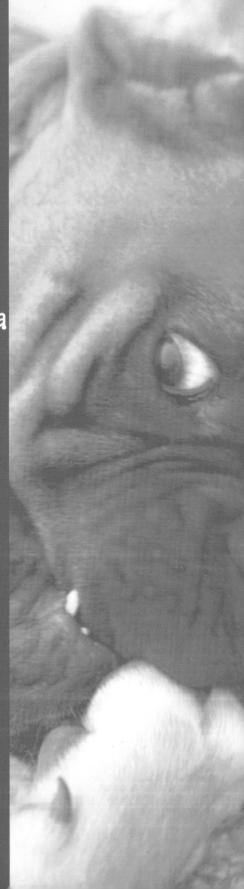

Bart, ci drws nesa

Mae'n edrych yn galed
ond mae o'n feddal
y tu mewn.
Ar ôl ofni y byddai'n ddraenen
yn fy ystlys i,
dwi'n gwrando am ei sŵn yn yr iard.

Gall Bart neidio at ddynion y bin,
colli'i limpyn yn lân
pan yw'r gath leol yn goglais y giât.
Weithiau mae'n cyfarth
os yw'n cael ei adael ar ei ben ei hun.

Os daw rhywun diarth
i barcio yn ein stryd
bydd Bart yn gwybod
ac yn ysgyrnygu'n bwrpasol.

Mae Bart yn edrych yn galed
ond mae o'n feddal iawn y tu mewn.

'Run fath â chdi a fi.

Aled Lewis Evans

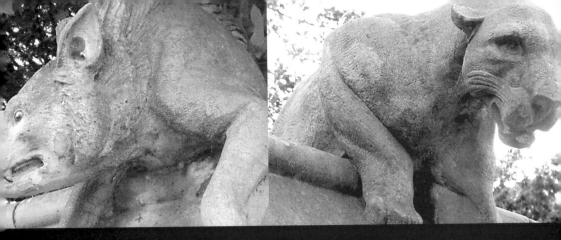

'Sgin i'm ofn dim byd

'Sgin i'm ofn dim byd!
Bwcïod, bwganod,
bwystfilod, coblynnod,
corynnod, ellyllod,
eryrod, gwiberod,
gwrachod, llewod,
llygod, llwynogod,
malwod, morfilod.
'Sgin i'm ofn dim byd!

Dim ond rheina i gyd!

Margiad Roberts

Bwli-boi

Nos da, Bwli-boi.
Ydi'r drws 'na wedi'i gloi?
Oedd 'na wich ar ben y grisiau?
Dos i weld be maen nhw eisiau —
Ydi dwrn y drws yn troi?
Welaist ti fflach o olau melyn?
Ydi'r gwely'n llawn o gelyn?
Wyt ti'n cael yr hyn ti'n roi?
Oedd 'na dap ar ffenest y llofft?
Paid â deud dy fod ti'n sofft!
Oes 'na gysgod draw yn fan'na?
Glywaist ti sŵn yn nhraed ei sana?
Oes rhywun yn dod yn ara' deg?
Ydi ofn yn crimpio dy geg
A chdithau heb un lle i ffoi?
Nos da, Bwli-boi.
Ydi'r drws 'na wedi'i gloi?

Myrddin ap Dafydd

Ofn

Mae arna' i ofn.

Ofn bwgan yn y nos,
Ofn ci sy'n cyfarth,
Ofn syrthio i mewn i'r ffos;
Ofn methu cyrraedd
Yr ysgol erbyn naw,
Ofn cael fy nal
Heb gôt ynghanol glaw.

Mae arna' i ofn
Y storm sy'n rhuo'n gry',
Ofn mellt a th'ranau,
Ofn cymylau du.

Mae arna' i ofn
Cael cosb am lyncu mul,
Ofn bod yn sâl
Ar ddydd trip Ysgol Sul;
Ofn doctor, ofn y deintydd,
Ofn syrthio i'r afon ddofn;
    Hen fabi ydw i'n tê?
    Mae arna' i ofn!

Selwyn Griffith

A fuest ti 'rioed?

A fuest ti rioed
Yn gwrando?
Yng nghanol y nos?
Yn llygad melfed y twyllwch
Yn gwrando?
Yn clustfeinio rhwng
Cyfnos a gwawr?
Ac yn clywed
Dim byd –
– Ond
Dy
hunan
yn
gwrando?

Dewi Pws

Nain?

Roedd Dad 'di mynd i Lerpwl,
Rwbath i 'neud 'fo gwaith,
Roedd Mam 'di mynd i siopa,
Felly doedd hitha ddim yno chwaith.
Oedd 'y mrawd 'di mynd 'fo'i ffrindia
I 'sgota dwylo'n Ffridd,
Ac roedd Taid yn yr ardd fel arfar
Yn palu yn y pridd.

A finna'n y tŷ
Ar ben fy hun,
'Mond fi a'r gath, sef Twm.
Ond welodd o mohoni hi chwaith
Gan ei fod o'n cysgu'n drwm.

Aeth bob man yn oer am dipyn,
A sŵn fel gwynt dan y drws,
Ac yno'n sefyll mewn ffrog hir las
Roedd 'na goblyn o ddynas dlws,
Nath hi'm deud dim byd, 'mond sbïo,
Am o leia dau funud, mae'n rhaid.
A dyma hi'n gwenu a chodi ei llaw,
Oedd hi'n edrach drwy'r ffenast ar Taid.
A finna'n deud dim,
Mond sbïo ar hyn,
Yn methu symud 'run cam,
Aeth y ddynas allan yn ddistaw bach,
Oedd hi'n hynod o debyg i Mam.

'Callia 'nei di,' ges i gin Dad,
'Paid â mwydro dy ben, er mwyn dyn.'
A 'mrawd yn gwenu rhyw wên fach slei
A gneud imi ama fy hun.
'Dychmygu 'nest ti, 'sdi,' meddai Mam,
''Di byta gormod o gaws.'
'Sa cau fy ngheg a peidio deud dim
'Di bod yn gallach . . . a haws.

Ond gwrando nath Taid
A gwenu am sbel,
Dim gwawdio na deud dim byd cas,
'Mond gofyn yn annwyl 'fo coblyn o wên —
'Oedd ganddi hi ffrog hir . . . las?'

Cefin Roberts

Twrch Tonyrefail

Mae tai yn crynu yn y nos
A tap yn dripian yn gynt
Lliw oren a brown ar y dŵr
Arogl mwydod ar y gwynt.

Mae biniau ar chwâl dros y stryd
Draw ar y mynydd, mae marc,
Mae'r sied wedi suddo yn yr ardd
Ac ôl pawennau yn y parc.

Mae ramp o goncrit wrth y giât
Mae ceir mewn tyllau ar y stryd
Mae criw newyddion ar y sgwâr
Yn rhoi'r stori i weddill y byd.

Mae defaid wedi diflannu'n llwyr
Yn Collenna a Tylcha Fawr
A'r ffermwyr wedi cael rhyw gip
Ar dwrch gyda chysgod cawr.

Yn ôl rhai o lowyr yr ardal
Roedd rhywbeth yn byw yn y pwll
Yn hoff o dywyllwch a llonydd
A byth yn dod mas o'r twll.

Ond mae'r gwanwyn cynnar yn galw
Mae calon y twrch ar ras:
Mae'n chwilio am gariad Gŵyl Dwynwen
A dyna pam fod e mas!

Blwyddyn 6
Ysgol Gymraeg Tonyrefail

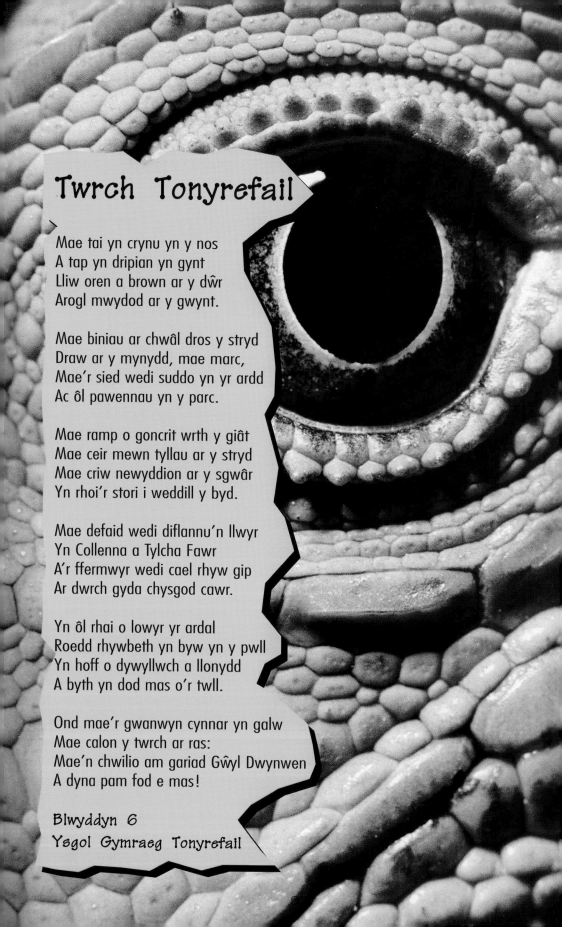

Walrws Ffyrnig Wdig

Mae annibendod ar y cei a'r traeth
A rhai yn amau mai'r Walrws wnaeth.
Iwn a'i jygyrnot o fola mawr
A'i geg fel ogof a'i lais fel cawr,
Sydd ym Mhwllgwaelod wedi gwneud ei dŷ
Dan gerrig geirwon a gwymon du.
Mae cychod chwâl a rhwyg yn y rhwyd,
Basgedi ar goll a'r môr mawr llwyd
Wedi dwyn y tywod, bwyta clogwyni
A dychryn y morlo ymhell o Bwllderi;
'm Mhenstrwmbwl mae'r goleudy gwyn
'n fud a thywyll erbyn hyn;
Mae'r coed wedi'u malu draw yn y cwm
A chraen yr harbwr a'i gefn yn grwm,
Mae'r llurs a'r crychydd yn sgrechen o hyd,
'wm Pig yn llefen am Ddiwedd y Byd
A'r Gath Fôr yn swatio, yn ofni mynd mas
Rhag disgyn i grafangau'r bwystfil cas.
Does neb wedi'i weld, ond yn ôl rhai
Walrws Ffyrnig Wdig a gaiff y bai.

Ysgol Wdig

Mae Mam yn honni

Mae Mam yn honni
Ei bod hi'n feji,
Ond 'sgwn i erioed feddyliodd hi
Fod gan lysiau
Eu teimladau . . .
Bod letys yn cael hunllefau
Cyn eu torri'n dameidiau,
Bod gan flodfresychen galon
Cyn ei thorri'n yfflon,
Bod tatws yn chwysu
Cyn iddi eu malu,
Bod moron yn crio
Cyn eu coginio,
Bod yr afal yn gwrido
Cyn rhoi'r gyllell drwyddo,
Bod oren yn benwan
Cyn torri y cyfan.

Oes, mae gan lysiau deimladau,
Beth bynnag ddwedith mamau.

Gwyn Morgan

Y fanana unig

Paham ydwi'n gorwedd fy hunan
Ynghanol y ffrwythau i gyd,
A'm ffrindiau i gyd wedi'u bwyta
A minnau'n dal yma o hyd?

Ryw wythnos yn ôl ro'n i'n felyn
A'm croen i yn llyfn ac yn iach,
Ond rŵan dwi wedi crebachu,
Yn frown ac yn debyg i wrach.

Mae 'nhraed i yn drewi'n ofnadwy
A'm perfedd yn slwtsh ac yn ddu,
Fe glywais rhyw ddynes yn gweido
'Dwi'm isio gweld honna'n y tŷ!'

A dyma fi ffling i'r bin sbwriel,
Heb os y lle butra'n y byd,
Edrychais, beth welais o'm cwmpa
Ond crwyn fy hen ffrindiau i gyd.

Eilir Rowlands

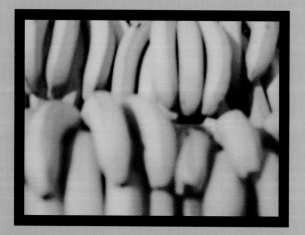

Darnau bach doniol

Mae jôc dyn cyfoethog bob amser yn ddoniol.

- dywediad o Loegr

Mae'r un gyda thrwyn hir yn meddwl
fod pawb yn siarad amdano.

— dywediad o'r Alban

Ni ddylai dyn gyda gwên gam agor siop.

— dywediad o Siapan

Pe bai'r babŵn yn medru gweld
ei ben-ôl ei hun,
byddai yntau'n chwerthin hefyd.

— dywediad o Kenya

Fe greda rhywun bob stori.

Gwae a fo'n ffôl ac a gymer arno fod yn ffolach.

— diarhebion Cymraeg

Poenau tyfu ...

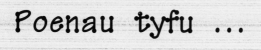

'Mam!
mae gen i boen yn fy mol!'

'Tyfu wyt ti!'

'Mam!
mae gen i boen yn fy mhengliniau!'

'Tyfu wyt ti!'

'Mam!
mae gen i boen ym mawd fy nhroed!'

'Tyfu wyt ti!'

'Mam!
oes gen ti boen yn dy drwyn?'

'Wel, oes, fel mae'n digwydd!'

'Tyfu mae o!'

Carys Jones

Ar y ffôn

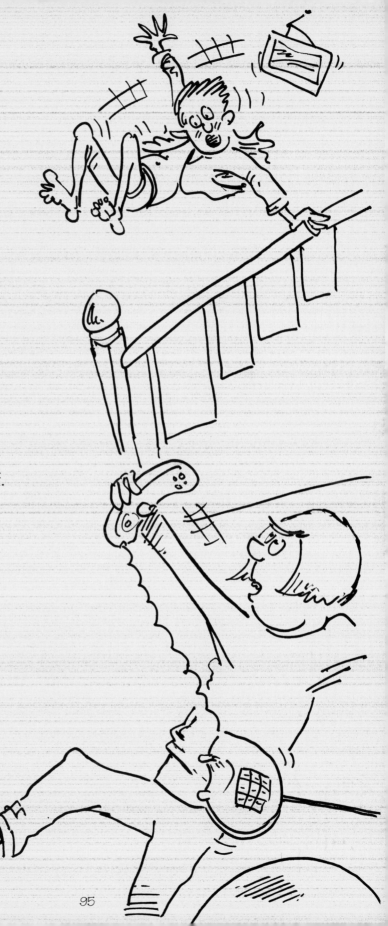

'Hei Twm,'
gwaeddd Mari dros y lle,
'Mae rhywun ar y ffôn i ti.
Tyrd brysia . . .
'Rwy'n credu ei fod
'n ddyn y loteri.'

A Twm a redodd
yn ei grys
a'i drôns
i lawr y grisiau at y ffôn.

'Helo,
Twm sy' 'ma . . .'

'Ia . . . ia . . . ia . . .
Ia, ta . . . Diolch.'

'Wel?'
gwaeddd Mari yn llawn cynnwrf.
'A gawsom ffortiwn, Twm?'

A Twm atebodd yn reit drist,
'Na,
nid dyn y loteri
oedd y dyn.'
'Wel, pwy te?'
gwenddai Mari.
'O! y dyn sy'n trwsio'r lori.'

Esyllt Tudur Davies

Roli a'r troli

Mewn anferth o siop yr oedd Roli
Yn swnian am reid yn y troli.

A mam wrthi'n siopa, roedd Roli
Yn bwyta'n slei bach yn y troli.

Fe lowciodd bum cacen a loli
A chreision wrth fynd yn y troli.

Mars bar a sôs coch ar ei hôl hi,
A chyraints o waelod y troli.

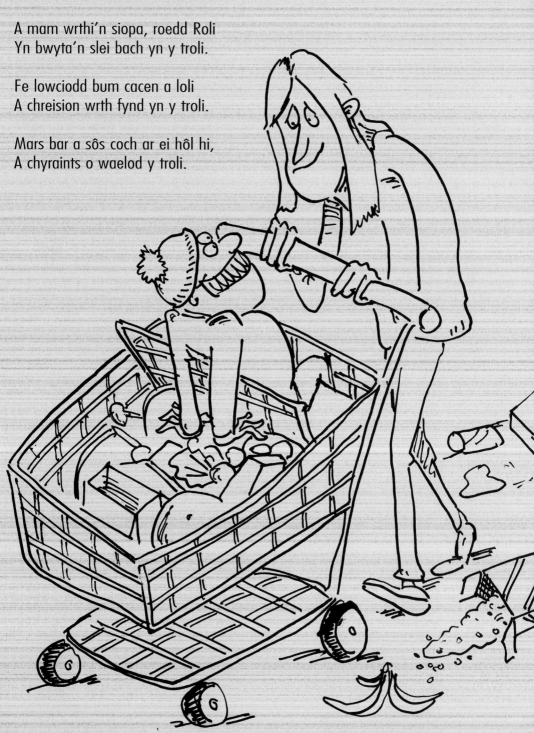

Tri iogyrt a dwy roli-poli —
Roedd Roli'n mwynhau yn y troli.

Ond ow, cyn bo hir fe aeth Roli
A'i wedd braidd yn wyrdd yn y troli.

A thoc fe ddaeth gwaedd, 'O fy mol i!'
Ac aeth Roli yn sâl yn y troli.

Os oes gennych chi frawd bach fel Roli,
Peidiwch gadael o'n agos at droli.

Dyfan Roberts

Gwledd Nadolig

Un 'Dolig roedd Mam yn arbrofi,
'Byddai camel yn neis yn lle twrci,'
   Ac yn wir, doedd ei flas
   Ddim yn erchyll o gas,
Ond roedd ambell i lwmp yn y grefi!

Llion Jones

Y Pigwr Trwyn

Y Pigwr Trwyn enwog o Sblot
Sydd wrthi ers pan mae'n ei got,
   A'r cwestiwn mawr sydd
   Ar strydoedd Caerdydd:
Be gebyst mae'n 'wneud â'r holl snot?

Myrddin ap Dafydd

A ddylai anifeiliaid gael yfed mewn tafarnau?!

Aeth Dad lawr i'r dafarn am ddiod nos Sul
a synnu gweld buwch yn cael peint hefo mul,
Roedd yntau, wrth reswm, am wybod paham,
a nhwtha yn yfed yn nhafarn y *Ram*!

Doedd ots gan fy nhad 'u bod nhw'n gweiddi'n ddi-baid
(roedd y ddau yn dipyn o adar, mae'n rhaid!)
ond dyna ryfeddod na welwyd mo'i fath —
aeth y ddau i ffraeo fel ci a chath!

Aeth y brefu a'r nadu yn uwch ac yn uwch;
roedd y mul wedi dweud fod y nos fel bol buwch
a'r fuwch ddim yn derbyn, yn styfnig fel mul,
ac aeth hi'n draed moch wrth ddweud faint oedd tan y Sul.

Aeth y mul bach ar gefn ei geffyl yn awr,
a'r fuwch wedi mynd fath â iâr ar y glaw.
Ond pan wnaeth o ddweud 'i bod hi'n hen gnawes gul,
daeth popeth i ben; mi wnaeth y fuwch lyncu mul!

Ifor ap Glyn

99

Pêl

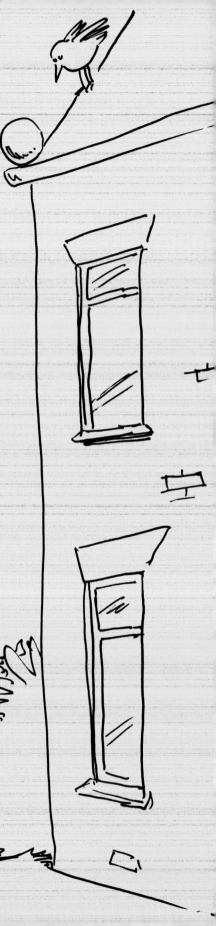

Roedd gen i bêl,
Pêl fawr wen,
Fe'i ciciais yn uchel
I fyny i'r nen;
A 'rŵan 'rwyf bron
Â mynd o 'ngho',
Mae'r bêl wedi aros
Ar ben y to.

Selwyn Griffith

Caca-Byji

Ro'dd byji 'da Anti Meri
— Un gwyrdd a melyn a glas,
Ro'dd e'n byw mewn caets
Uwchben y frij,
A'dd e wastad yn trial dod mas.
'Trueni, pŵr dab,' medde John 'y mrawd
Wrth weld y byji mor drist,
Ac fe ddringodd i dop y frij â gwên
A sibrwd yn dawel — 'ust!'.
Fe agorodd e'r drws yn araf
A mas dda'th y byji bach slei
— Eisteddodd yn dwt ar ysgwydd John
A gneud uffach o fes ar 'i dei.
— A'th John i dymer ofnadw
Na welwyd eriod mo'i fath,
— A 'na pam ma' enaid y byji'n y nef
— A'i gorff e ym mola'r gath

Dewi Pws

101

Mae gen i enw

Fel Nia Wyn a Rhys Tŷ Pen
A Mr Men a Tutu,
Fel Rala a Rambo a Wil Cwac Cwac,
Fel pawb, mae gen i enw.

Ond er bod enw iawn gen i
'Rwy'n methu'n lân a deall
Pam 'rydw i o hyd yn cael
Fy ngalw'n rhywbeth arall.

Gofynnodd gwraig y dydd o'r blaen
Pan syrthiais i wrth redeg
'Wyt ti wedi brifo, bach?'
A minnau bron yn ddeuddeg!
Ac yn yr ysgol bore ddoe
Mi gefais enw newydd —
'Hei, y cynrhonyn,' meddai Miss,
'Ie, ti, eistedda'n llonydd!'

'Rwyf wedi cael fy ngalw'n 'llo',
O, do, a gwaeth , myn coblyn,
Yn 'be-chi'n-galw', ac yn 'ffŵl',
Yn 'benbwl' ac yn 'dwpsyn'.

Mae'n anodd gwybod erbyn hyn
Pwy wyf i, dyna'r trwbl,
A 'dwn i ddim pam cefais i
Fy enw iawn o gwbl.

Enid Wyn Baines

Byd gwyrdd

Ble mae'r drain gwaethaf
Y mae'r rhosyn harddaf.

— rhigwm o Lydaw

Paid â thorri'r goeden
  sy'n rhoi cysgod iti.

— dihareb o Arabia

Ni welir gwerth y ffynnon tan iddi sychu.

— diarheb o Iwerddon

Cadw dy ardd, ceidw dy ardd dithau.

Gloywach dŵr yn y ffynnon nag yn y ffrwd.

— diarhebion Cymraeg

Rhyfeddod

Fel roeddwn i'n cerdded i Bortinlláen
Mi welais ryfeddod rhyfeddol o 'mlaen.
Yn fawr fel rhyw gawr o'r hen amser gynt,
Efo trichant o freichiau yn chwifio'n y gwy
A chroen mor galed â gwyneb y graig
Wedi crychu a rhychu fel croen hen wraig,
A chlogyn mawr llaes bron iawn at y traed
Yn crynu a siffrwd, yn goch fel y gwaed.
Gofynnais i pam, a sut ac ers pryd?
Ond ddaeth 'na ddim ateb o fath yn y byd
Ond bob tro byddai awel, wel dyna'r hen g
Yn lluchio rhyw fomiau bach del hyd y llaw
Beth oedd y rhyfeddod a welais o 'mlaen
Fel roeddwn i'n cerdded o Bortinlláen?

(coeden dderw yn yr Hydref)
Twm Morys

Bendithion

Beth roi di i mi
yn wyn dros fy mhen?
Cawod ysgawen
a draenen wen.

Beth roi di i mi
yn wên yn y gwair?
Llygad Ebrill
a briallu mair.

Beth roi di i mi
sy'n gân erioed?
Clychau'r gwcw
o dan y coed.

Beth roi di i mi
sy'n werth y byd?
Lili'r Wyddfa
a rhegen yr ŷd.

Beth roi di i mi
yn las, yn wyrdd?
Daear, awyr
a moroedd fyrdd.

Huw Daniel

Bysus Eryri

'Dwi'n hen, ond fydda'i yno' —
addawodd y bws o Landudno:

'fe ddaeth newid tymor' —
meddai'r bws bore i Fangor:

'mae hi'n dywydd cynddeiriog' —
meddai'r bws i Borthmadog:

'ond mae'r daith werth yr ymdrech!'
ebe'r bws hir i Harlech:

'ddaw 'na haul ar yr heli' —
yn gweddi'r bws i Bwllheli:

gwyntoedd un noson lawog
aeth â'r bws i Fotwnnog:

fe ddaw'n hwyr neu'n hwyrach —
y bws o Landwyfach,

a chyrraedd Caernarfon
hyd lonydd chwil a chulion:

'does dim galw rhagor' —
meddai'r bws ola' i Fangor,

'mae'r ceir wedi'n curo' —
ac aeth 'n ôl i Landudno.

Iwan Llwyd
Gaeaf 2002

Gofalu . . .

Mae llawer o wledydd yn ein byd,
Ac ynddynt mae llynnoedd a chaeau ŷd,
Mynyddoedd, coedwigoedd a thywod a phridd,
Lleuad bob nos a heulwen bob bydd,
Moroedd, afonydd a ffrydiau bach,
Glaswellt a blodau ac awyr iach,
Rhaid inni ofalu am bopeth, fy ffrind,
Neu erbyn yfory bydd bob dim 'di mynd.

Mae llawer creadur yng ngwledydd ein byd,
Y broga, y carw a'r cangarw mud,
Llygoden, gwybedyn, a mochyn y coed,
Tarw a chrwban a neidr filtroed,
Alarch ac ystlum a'r eryr aur,
Morfil a phenbwl a chragen Mair,
Rhaid inni ofalu amdanynt, fy ffrind,
Neu erbyn yfory bydd rheiny 'di mynd.

Mae llawer o bobl yng ngwledydd ein byd,
Henoed, ieuenctid a'r babi'n y crud,
Iaith a diwylliant, cyfoethog a thlawd,
Teulu o bymtheg, ac unig heb frawd,
Glöwr a ffermwr, pregethwr a Mam,
Bronislav, Yoko a Sergei a Sam,
Rhaid inni ofalu am bob un, fy ffrind,
Neu erbyn yfory bydd hwythau 'di mynd.

Carys Jones

Toc

Am ba hyd
y pery'n byd
bach ysgwarnoglyd ni?

Daw swˆn y fwyell
o'r coed pell
i'm stafell ddistaw i.

Toc, mi dyrr
y geiriau'n fyr
ym murmur llawer man.

Toc, mi ddaw'r
peiriannau mawr
i godi llawr y llan.

Toc, mi fydd pob croeslon
â'i harwyddion
eto'n wyn.

Toc, mi fydd
y ffermydd
fel rhai llonydd yn y llyn.

Daw swˆn y fwyell
o'r coed pell
i'm stafell ddistaw i,

Yn tocio hyd
a lled ein byd
bach ysgwarnoglyd ni.

Twm Morys

Du

O'r holl adar,
y bilidowcar du,
a'i big fel bachyn,
yw'r mwyaf sydyn sy';

yn 'sgota'r ewyn,
yn dilyn graen y dŵr,
ac yna'n plymio —
wnaiff o ddim suddo siŵr!

fe ddaw i'r wyneb eto,
o'r môr i chwarae mig,
a brenin y lledod
yn barod yn ei big:

ond mae'r heli'n llonydd,
a'i adenydd di-ias
wedi'u gludo ar draeth
llanw caeth y lli' cas;

ei wddw'n grwm,
olew'n blwm ar ei blu,
un cwlwm o alar
yw'r bilidowcar du.

Iwan Llwyd

Natur

Gwirion 'di'r adar mor uchel eu cloch
Wedi peintio eu pigau' a'u coesa' nhw'n goch.
Ond o'r holl anifeiliaid sy'n byw yn Llŷn,
Y mwya' gwirion ydi dynes a dyn.

Creulon 'di'r llwynog sy'n dod yn y nos
I ladd y ceiliog a'r iâr fach dlos,
Ond o'r holl anifeiliaid sy'n byw yn Llŷn
Y mwya' creulon ydi dynes a dyn.

Diog 'di'r morlo sy'n cysgu o hyd,
Draw ar y traeth yn gwneud diawl o ddim byd,
Ond o'r holl anifeiliaid sy'n byw yn Llŷn,
Y mwya diog ydi dynes a dyn.

Budur 'di'r mochyn sy'n rowlio'n y baw
Draw wrth ei gwt o yng nghanol y glaw,
Ond o'r holl anifeiliaid sy'n byw yn Llŷn,
Y mwya budur ydi dynes a dyn.

Gwlyb ydi'r dyfrgi, a'i flew o mor llyfn,
Yn chwara' efo'i ffrindia'n y llynnoedd dyfn,
Ond o'r holl anifeiliaid sy'n byw yn Llŷn
Y mwya gwlyb ydi dynes a dyn!

Di-hid ydi'r iâr sy'n tin-droi ar y ffordd
Nes daw 'na lori i'w gwasgu fel gordd,
Ond o'r holl anifeiliad sy'n byw yn Llŷn
Y mwya di-hid ydi dynes a dyn.

Blwyddyn 6, Ysgol Cymerau, Pwllheli
gyda Twm Morys

Byd du

Du eu byd y trefi gyda'u masgiau mwg.
Du eu byd y gwyntoedd sy'n cario'r hadau drwg.
Du eu byd y cnydau o dan gymylau'r sbre.
Du eu byd y strydoedd a'r sbwriel hyd y lle.
Du eu byd y defaid ag angau yn y bryn.
Du eu byd y llynnoedd yn llawn llysnafedd gwyn.
Du eu byd y ffrwythau a'r gwenwyn ar eu crwyn.
Du eu byd yr adar sy'n ddistaw yn y llwyn.
Du eu byd y coed sy'n lludw yn y tân.
Du eu byd y caeau o dan y tarmac glân.
Du eu byd y nentydd, yn gwteri dan y gwaith.
Du eu byd y pysgod wrth gyrraedd pen eu taith.
Du eu byd y dail gaiff eu llosgi gan y glaw.
Du eu byd y plant sy'n gweld yr hyn a ddaw.
Du eu byd y moroedd â'r olew yn y lli
A du ei byd y ddaear sydd yn ein gofal ni.

Catrin Dafydd

FFYNONELLAU

TLWS POPETH BYCHAN
'Bach ydi baban', Gwyn Thomas o *Croesi Traeth*, Gwasg Gee
'Fy chwaer fach', Siôn Emyr, Ysgol Gynradd Llanrug
'Y ceffylau bach', T. Llew Jones o *Cerddi newydd i blant*, Gomer
'Harddach wyt na'r rhosyn gwyn', R. Bryn Williams o *O'r Tir Pell*, Gwasg y Brython
'Ŵyn', Emrys Roberts o *Loli-pop Lili Puw*, Gwasg Carreg Gwalch
'Cân cyn cysgu', Gwion Hallam o *Ticiti-toc*, Gomer
'Y bore bach', Myrddin ap Dafydd
'Titw bach', Carys Jones o *Perthyn dim i'n teulu ni*, Gwasg Carreg Gwalch

SŴN Y DŴR
'Tryweryn', Meic Stevens, Cyhoeddiadau Sain
'Pitran-patran', Waldo Williams o *Cerddi Plant*, Gomer
''Run fath â llynedd', Catrin Dafydd o *'Tawelwch!' taranodd Miss Tomos*, Gwasg Carreg Gwalch
'Cymylau', Emyr Hywel o *Cerddi Doniol*, Christopher Davies
Hen rigwm
'Pysgod', Margiad Roberts o *Mul Bach ar Gefn ei Geffyl*, Gwasg Carreg Gwalch
'Dim ond dŵr', Myrddin ap Dafydd
'Y storm', T. Llew Jones o *Penillion y Plant*, Gomer
'Yr enfys', W. Rhys Nicholas o *Y Mannau Mwyn a cherddi eraill i'r ifanc*, Tŷ John Penry
'Mewn car drwy gawod', John Gwilym Jones o *Rhannu'r Hwyl*, Gomer
'Socsan', Tony Llewelyn
'O law i law', Tony Llewelyn
'Yn y tŷ', Lis Jones o *Byw a Bod yn y Bàth*, Gwasg Carreg Gwalch
'Cwyd dy galon', Myrddin ap Dafydd o *Y Llew Go Lew*, Gwasg Carreg Gwalch

SYLWEBAETH AR CHWARAEON
'Tair gwennol fach', Blwyddyn 5 a 6, Ysgol Cynwyl Elfed
'Deg babi newydd', Blwyddyn 4, 5 a 6, Ysgol Pentraeth
'Mathew 007', Blwyddyn 5 a 6, Ysgol Griffith Jones, San Clêr
'Rhyfel ddu a gwyn', Blwyddyn 5 a 6, Ysgol Glanrafon, Yr Wyddgrug
'Gwyndaf yng nghoedwig Dyfnant', Dosbarthiadau 3, 4, 5 a 6, Ysgol y Banw, Llanerfyl
'Gadael mynydd', Blwyddyn 5 a 6, Ysgol Glan Morfa, Abergele
'Un gic yn gwneud gwahaniaeth', Dosbarth 4D, Ysgol Wdig
'Medal yn fy meddwl', Adran Iau, Ysgol Llanychllwydog, Cwm Gwaun
'Cam ymlaen, cam yn ôl, cam ymlaen', Adran yr Urdd, Llithfaen

GWENU WRTH 'SGWENNU
'Dwi ddim yn dda yn 'sgwennu', Gwyn Morgan o *Chwarae Plant*, Gwasg Carreg Gwalch
'Cerdd yn y pen', Gerda Mayer, Tsiecoslofacia
'Barddoni', Tomas Tranströmer, Sweden
'Sut i fwyta cerdd', Eve Merriam, Unol Daleithiau America
'Pam dy fod ti'n sgwennu cerddi?', Nanao Sakaki, Siapan
'Cerdd rhag ofn', Dewi Pws o *Pws!* Y Lolfa
'Cerdd', Valmai Williams — addasiad o waith Nick Toczek
'Yr hysbyseb', Geraint Løvgreen o *Holl Stwff Geraint Løvgreen*, Gwasg Carreg Gwalch
'Dwi am fod yn fardd', Myrddin ap Dafydd o *Pac o Feirdd*, Gwasg Carreg Gwalch
'Pe bawn', Gwyn Morgan
'E-bost gwirion bost', Elinor Wyn Reynolds o *Pac o Feirdd*, Gwasg Carreg Gwalch
'A.B.X.', Tony Llewelyn

HOLI AM STORI
'Camp Ifor Bach', Edgar Phillips o *Trysor o Gân i'r Plant*, The Educational Publishing Company, Caerdydd a Wrecsam
'Cân y glöwr', Dafydd Iwan, Cyhoeddiadau Sain
'Llongau Madog', Ceiriog o *Barddoniaeth y Plant 2*, Hughes
'Y llwynog a'r frân', W. Rhys Nicholas o *Y Mannau Mwyn a cherddi eraill i'r ifanc*, Tŷ John Penry
'Owain Lawgoch (1340-78)', I.D. Hooson o *Cerddi a Baledi*, Gwasg Gee
''Sgen Tony ddim tŷ', Geraint Løvgreen, Cyhoeddiadau Sain
'Y Fantell Fraith', I.D. Hooson o *Cerddi a Baledi*, Gwasg Gee

CHYMYG

'Mam wnaeth got i mi', Dafydd Iwan, Cyhoeddiadau Sain
'Fy mag ysgol', Dorothy Jones
'Coron Cymru', Ysgol Arberth
'Y Briallu', Eifion Wyn o *Caniadau'r Allt*, Foyles, Llundain
'Enwau', Gwyn Thomas o *Odl a Chodl*, Y Lolfa
'Ffrindiau', Neesha Brown, Ysgol Gynradd Sant Curig
'Anifeilaidd 'ta 'be?', Margiad Roberts o *Tabledi-gwneud-'chi-wenu*, Gwasg Carreg Gwalch
'Lle bach tlws', T. Gwynn Jones, Hughes
'Byd bach Harri a William', Ysgol Cas-mael
'Sêr', Mei Mac o *Rhedeg Ras dan Awyr Las*, Hughes

LWYDDYN O DDATHLU

'Misoedd Romani', Menna Elfyn o *Odl a Chodl*, Y Lolfa
Hen bennill wrth ganu calennig
'Eirlys', Gwyn Thomas o *Darllen y Meini*, Gwasg Gee
'Ynys Llanddwyn', Emyr Huws Jones, Cyhoeddiadau Sain
'Cennin Pedr', Gwyn Thomas o *Darllen y Meini*, Gwasg Gee
'Modryb Elin Ennog', Hen hwiangerdd
'Os wyt Gymro', Eifion Wyn o *Telynegion Maes a Môr*, The Educational Publishing Company, Caerdydd
'Calan gaea', Dewi Pws o *Pws!* Y Lolfa
Hwiangerdd
'Tachwedd y pumed', John Hywyn o *Rhannu'r Hwyl*, Gomer
'A chofiwn ei eni Ef', Dafydd Iwan, Cyhoeddiadau Sain
'Blwyddyn o liwiau', Mei Mac o *Rhedeg Ras dan Awyr Las*, Hughes

MEDDAL Y TU MEWN

'Bart, ci drws nesa', Aled Lewis Evans
''Sgin i'm ofn dim byd', Margiad Roberts o *Ych! Maen nhw'n neis*, Gwasg Carreg Gwalch
'Bwli-boi', Myrddin ap Dafydd o *Ych! Maen nhw'n neis*, Gwasg Carreg Gwalch
'Ofn', Selwyn Griffith o *Nesa i Adrodd*, Gwasg Pantycelyn
'A fuest ti 'rioed?', Dewi Pws o *Pws!*, Y Lolfa
'Nain?', Cefin Roberts o *Perthyn dim i'n teulu ni*, Gwasg Carreg Gwalch
'Twrch Tonyrefail', Blwyddyn 6, Ysgol Gymraeg Tonyrefail
'Walrws Ffyrnig Wdig', Ysgol Wdig
'Mae Mam yn honni', Gwyn Morgan o *Brechdana banana a gwynt ar ôl ffa*, Gwasg Carreg Gwalch
'Y fanana unig', Eilir Rowlands o *Brechdana banana a gwynt ar ôl ffa*, Gwasg Carreg Gwalch

DARNAU BACH DONIOL

'Poenau tyfu ...', Carys Jones o *Perthyn dim i'n teulu ni*, Gwasg Carreg Gwalch
'Ar y ffôn', Esyllt Tudur Davies
'Roli a'r troli', Dyfan Roberts o *Odl a Chodl*, Y Lolfa
'Gwledd Nadolig', Llion Jones o *Mul bach ar gefn ei geffyl*, Gwasg Carreg Gwalch
'Y pigwr trwyn', Myrddin ap Dafydd o *Tabledi-gwneud-'chi-wenu*, Gwasg Carreg Gwalch
'A ddylai anifeiliaid gael yfed mewn tafarnau?', Ifor ap Glyn o *Mul bach ar gefn ei geffyl*, Gwasg Carreg Gwalch
'Pêl', Selwyn Griffith o *Nesa i Adrodd*, Gwasg Pantycelyn
'Caca-Byji', Dewi Pws o *Mul bach ar gefn ei geffyl*, Gwasg Carreg Gwalch
'Mae gen i enw', Enid Wyn Baines o *Llais Llifon*, Dyffryn Nantlle ac Arfon

BYD GWYRDD

'Rhyfeddod', Twm Morys
'Bendithion', Huw Daniel
'Bysus Eryri', Iwan Llwyd
'Gofalu ...', Carys Jones
'Toc', Twm Morys o *2, Cyhoeddiadau Barddas*
'Du', Iwan Llwyd
'Natur', Blwyddyn 6, Ysgol Cymerau, Pwllheli gyda Twm Morys
'Byd du', Catrin Dafydd

MYNEGAI I'R LLINELLAU CYNTAF